CASGLWR

Llion Iwan

GOMER

Argraffiad cyntaf – 2004

ISBN 1 84323 353 3

Mae Llion Iwan wedi datgan ei hawl dan Ddeddf
Hawlfreintiau, Dyluniadau a Phatentau 1988
i gael ei gydnabod fel awdur y llyfr hwn.

Dymuna'r cyhoeddwyr gydnabod cymorth
Cyngor Llyfrau Cymru.

*Argraffwyd yng Nghymru gan
Wasg Gomer, Llandysul, Ceredigion SA44 4JL*

'Touch the Devil and you can't let go.'

'Paid cyffwrdd â'r Diafol – fyddi di fyth yn rhydd.'

Hen ddywediad Gwyddelig

Dychmygol a ffug yw pob cymeriad a bortreadir yn y nofel hon, ac mae unrhyw debygrwydd rhyngddynt ac unrhyw bersonau byw neu farw yn gwbl ddamweiniol ac anfwriadol.

Y BODIWR

Rhwygodd y mieri ei fochau yn greulon ddwfn gan dynnu gwaed yn syth. Ond er cymaint ei ofn ni theimlodd y boen. A chan fod ei ddwylo wedi'u rhwymo â gefynnau dur y tu ôl i'w gefn, ni allai amddiffyn ei wyneb rhag y bachau crymanog wrth iddo faglu rhedeg rhwng y coed a thros eu gwreiddiau.

Roedd y glaw wedi cymysgu'r pridd â'r gwaed oedd ar ei wyneb. Blasai'r gwaed a'i ddagrau'n hallt, a'r pridd yn chwerw. Poerodd i geisio glanhau ei geg.

Disgynnai dafnau trwm o law oddi ar y brigau wrth i'r gwynt hyrddio drwy'r coed pin a'u hysgwyd fel brwyn. Ond y cwbl a glywai'r bachgen oedd rhuthr barus ei erlynydd. Roedd yn siŵr ei fod wedi agosáu yn y munudau diwethaf. Bron na allai deimlo'r anadl boeth yn ei glust eto, yn union fel y gwnaeth pan gipiwyd ef y prynhawn hwnnw. Doedd dim amheuaeth ganddo beth fyddai'n digwydd pe câi ei ddal eto.

Brathodd yn herciog boenus am ei wynt ac roedd yn igian crio. Ond gyrrwyd ef ymlaen gan ofn iasol, lle byddai blinder wedi'i lorio fel arfer. Brwydrodd i gadw'i draed rhag llithro ar ddaear oedd yn garped o nodwyddau gwlyb, canghennau a phridd. Caeodd ei lygaid yn galed ddwywaith a cheisio'u rhwbio yn erbyn ei ysgwydd i sychu'r glaw a'r dagrau gan ddal i redeg.

Doedd dim syniad ganddo i ble i ddianc wrth iddo faglu ffoi yn ddall drwy'r goedwig ddieithr. Roedd yn prysur flino. Taflodd ambell gipolwg ofnus, frysiog dros ei ysgwydd gan daro yn erbyn boncyff neu ddisgyn ar ei bengliniau gwaedlyd.

Gwyddai iddo wneud camgymeriad mawr. Rhedeg ar ei ben i'r goedwig wnaeth ef ar ôl neidio o'r car ddeg munud ynghynt pan fu raid i'r herwgipiwr oedi wrth i gerbyd arall bron â tharo i mewn iddynt. Chafodd y bodiwr ddim amser i feddwl, dim ond cicio'r drws ar agor a rhedeg am ei fywyd o gyrraedd y gyllell hir. Roedd ar ras wyllt heb syniad i ble'r oedd yn rhedeg.

Atseiniodd corn trên drwy'r dyffryn. Safodd y bachgen yn stond gan droi ei ben un ffordd a'r llall wrth geisio penderfynu ar gyfeiriad atsain y sŵn. Gwrandawodd yn astud am ennyd gan ddal ei wynt. Eiliad yn unig a safodd cyn clywed y corn eilwaith, a hwnnw'n ei sbarduno i redeg tuag ato.

Nawr gwyddai ble i fynd ac roedd gobaith yn fflamio. Gwyddai ble gallai gael ei achub rhag y dyn â'r gyllell hir oedd yn ei erlyn. Cyflymodd ei gam a chlywodd y corn eto, yn llawer agosach y tro hwn. Roedd bron â chael ei achub. Ochneidiodd mewn rhyddhad.

O'i flaen gwelai lle'r oedd y goedwig yn dod i ben, a thu hwnt i honno, mae'n rhaid, roedd trac y rheilffordd. Clywai'r trên yn prysur agosáu. Roedd wal gerrig ar ymyl y goedwig ac arafodd ei gam i fesur ei naid dros y clawdd.

Fel arfer buasai wedi llamu drosti heb drafferth. Ond roedd carreg lefn tua llathen o'r wal, a'r mwsog oedd yn ei gorchuddio wedi bod yn sugno'r diferion glaw drwy'r dydd. Trawodd ei esgid yr wyneb.

Llithrodd ei droed tuag yn ôl yn ddirybudd wrth i'r mwsog chwalu dan y pwysau. Taflwyd ef ar ei wyneb i'r wal. A chan fod ei ddwylo wedi'u clymu y tu ôl i'w gefn, doedd dim gobaith ganddo. Yn ffodus fe'i trawyd yn anymwybodol yn syth gan y godwm.

*   *   *

O fewn eiliadau roedd ei erlynydd yn y siwt ddu wedi llamu ar ei gefn gyda bloedd isel o foddhad, cyn sibrwd yn fygythiol ddistaw yn ei glust,

'Mi gei di dalu'n ddrud am hynna, ngwas i. Does neb erioed wedi dianc oddi wrtha i. Erioed.'

Ond roedd y bodiwr ifanc wedi llwyddo i ddianc rhag yr hunllef oedd wedi'i chynllunio ar ei gyfer.

'Ar dy draed. Rŵan. Neu mi lladda i di,' gwaeddodd y Casglwr uwchlaw sŵn y storm, gan dynnu pen y bachgen yn ôl yn gïaidd gerfydd ei wallt. Daliodd flaen y gyllell fodfeddi oddi wrth lygaid y bodiwr. A sylwodd eu bod ar gau.

Cawsai'r llafn ei duo rhywdro gan fflamau, ac roedd dannedd fel lli saer wedi torri ar hyd un ochr iddi. Codai'r gyllell *Gurkha* grymanog ofn ar bawb, fel arfer. Ond nid y tro hwn.

Teimlodd y pwysau diymadferth yn ei ddwylo a gwelodd fod llygaid y bachgen ar gau a'r gwaed yn llifo o archoll ddofn ar hyd ei dalcen. Roedd ei drwyn wedi'i chwalu hefyd. Rhegodd y Casglwr yn uwch a thaflu'i ben yn ôl gan weiddi wrth sylweddoli fod y bachgen yn anymwybodol. Trawodd lafn y gyllell yn erbyn boncyff yn ei ddicter a'i siom.

Ceisiodd godi'r corff, ond roedd hwn yn fachgen mawr. Ei faint a dynnodd ei sylw gyntaf y diwrnod hwnnw ar y draffordd brysur. Gwyddai na allai ei lusgo yr holl ffordd i'r car, heb sôn am ei gario. Am y tro cyntaf mewn amser maith fe deimlodd ofn yn gafael ynddo.

Allai o ddim gadael y corff yno i rywun ddod o hyd iddo. Buasai hynny'n ddiwedd ar bopeth. A doedd ei waith ddim ar ben eto o bell ffordd. Gwyddai fod gweithwyr y Comisiwn Coedwigaeth wrthi'n brysur yn torri'r coed yn yr ardal ac na fyddai'n ddiogel cuddio na chladdu'r corff yma chwaith.

Taranodd y trên a allai fod wedi achub y bachgen heibio lathenni i ffwrdd, gan ysgwyd y coed. Ar unwaith dechreuodd y Casglwr godi'r corff dros y wal gerrig. A gwyddai pa mor bwysig oedd hi fod y bachgen yn dal yn fyw ar gyfer y cam nesaf.

*   *   *

Oni bai am lygaid craff Neil Jones, gyrrwr y trên y noson honno, efallai na fuasai'r corff wedi ei ganfod o gwbl. Ymfalchïai Neil nad oedd erioed wedi cael damwain mewn pymtheg mlynedd o yrru trenau. Roedd hefyd yn berchen ar fferm fechan yn y dyffryn, a doedd o ddim am daro un o anifeiliaid ei gymdogion.

Rhywsut fe welodd y corff yn gorwedd ar y rheilffordd, er ei bod yn tywyllu ar noson stormus. Seriwyd llun o'r corff yn ei feddwl am byth, a chofiai sylwi ei fod yn gorwedd â'i ben oddi wrth y goedwig.

Safodd ar y brêcs ar unwaith gan weiddi'n ofer drwy'r ffenestr. 'Hoi! Coda! Smuda rŵan!'

Boddwyd ei rybudd gan beiriant y trên a'r brêcs yn sgrechian. Ond y diwrnod wedyn dywedodd fod gweiddi fel'na wedi gwneud iddo deimlo rhywfaint yn well, er na wnaeth ddim i atal yr hunllefau a'i blinodd am fisoedd wedyn.

Er gwaetha'i ymdrechion a'i floeddio, fe drawodd y trên y corff nes ei hyrddio i'r awyr â chlec a godai bwys. Fe'i taflwyd fel doli glwt ddwsinau o lathenni i lawr y rheilffordd.

Wedi'i guddio gan y coed uwchben, roedd y Casglwr wedi gorfod aros am awr yn y glaw a'r oerfel i weld y bachgen yn cael ei ladd. Cadwodd ein hun yn brysur wrth geisio dileu olion o'r hyn a ddigwyddodd, tra oedd yr oerfel yn treiddio i'w esgyrn. Ond heb olau fflachlamp, a'r storm yn cuddio'r lleuad, roedd hi'n dasg amhosibl. Allai o ddim bod yn siŵr ei fod wedi cuddio popeth – ac roedd hynny'n ei boeni.

Cododd ar ei draed, ac wrth glywed y trên yn taro'r corff a'i wylio'n hedfan yn araf urddasol drwy'r awyr, anghofiodd am yr oerfel a theimlo rhyddhad am eiliad fer ei fod wedi llwyddo. Yna fe'i mygwyd gan siom. Byddai'n rhaid hela eto'n fuan.

1. Y GOLYGYDD

Roedd Dafydd yn hwyr, a doedd *hangover* penwythnos hir ddim yn help – na chwaith yr atgofion am y ffrae ffyrnig, gyhuddgar, boenus a gafodd gyda'i gariad. Daliai'r un hen ddadleuon i din-droi yn ei ben wrth iddo yrru drwy'r glaw a'r niwl oedd yn tagu a diflasu'r bore Llun miniog, oer hwnnw.

Parciodd y car llwyd – y bu mor falch ohono unwaith, ond nad oedd bellach yn ddim mwy na hen drol – yn flêr o dan y bont. Gan fod y to haul yn gollwng, byddai'n ei adael yno i'w arbed rhag y glaw.

Cododd y brechdanau, a stwffiodd at ei gilydd lai na hanner awr ynghynt, oddi ar lawr y car gan addo iddo'i hun am y milfed tro y basai'n glanhau'r tu fewn yn fuan.

Roedd yn dipyn o jôc gan ei ffrindiau fod y car mor flêr nes edrych fel petai rhywun wedi gwagio bag sbwriel ar hyd y sedd gefn. Ond roedd yn wir fod ffrind, unwaith, wedi canfod gweddillion sgerbwd cyw iâr cyfan wedi'i stwffio o dan sedd y gyrrwr.

Cyn iddo gau'r drws a throi ar ei sawdl roedd y gwynt wedi chwipio dyrnaid o bapurau betio melyn oddi ar y *dashboard* a'u troelli'n orffwyll i lawr y stryd i'w atgoffa a'i boenydio.

Teimlodd ei galon yn suddo wrth iddo nesáu at ddrysau swyddfeydd y *Coast Weekly*. Gwelodd ei adlewyrchiad yn sydyn yn ffenestri blaen y swyddfa:

dyn ifanc, tal a thenau a edrychai braidd yn rhy welw, a'i lygaid – a arferai fod yn las – braidd yn rhy goch i rywun oedd ond yn wyth ar hugain oed.

'Llinyn trôns' oedd disgrifiad cryno-garedig ffermwr boliog lleol ohono pan gwrddon nhw am y tro cyntaf. Doedd byth angen cribo'i wallt du gan ei fod mor gwta, ond roedd ei grys a'i dei dan y got fynydda goch a llwyd yn flêr, a heb fod ar gyfyl bwrdd smwddio ers dyddiau.

Ceisiodd y Golygydd ei gael i wisgo *mac* olau fel yr un roedd Columbo'n ei ffafrio, ond credai Dafydd fod hances boced yn well amddiffyniad rhag tywydd yr ardal na honno, felly ei hen got fynydda a wisgai bob amser.

'Bore da, *sunshine*. Ti'n edrach yn dda fel arfar. Pa stori mae'r *award winner* wedi bod ar ei chefn hi dros y penwythnos yma?' Cyfarchiad hyderus, coeglyd Charlie ar y ddesg flaen wrth iddi ddarllen am selébs mewn cylchgrawn glosi. Gwenodd yntau'n gul arni, ond roedd wedi hen ddysgu'r wers mai dweud dim oedd gallaf gyda hi.

Roedd hi'n dal heb faddau iddo am wrthod ei chusanu yn y parti Nadolig ar ôl iddi ei gornelu gyda photel o win y tu allan i'r toilet. Doedd o ddim wedi bod yn y swydd am flwyddyn eto, ond am y canfed tro addawodd iddo'i hun na fuasai yno erbyn y parti Nadolig nesaf. Teimlai fel un o'r llygod bach gwyn rheiny sy'n rhedeg ar yr olwyn mewn cell, yn chwysu chwartiau ond yn aros yn ei unfan.

Er fod y swyddfeydd wedi'u haddurno mewn glas a melyn golau brin ddeufis ynghynt, teimlai'n lle diflas, oeraidd i Dafydd. Gan ei fod yn hwyr, roedd yn ddoeth iddo osgoi'r stafell newyddion, felly cerddodd drwy'r ystafell brintio, oedd yn ddistaw fel y bedd ar fore Llun, a mynd ar ei union i'r toilet.

Tynnodd ei got a'i siwmper yn gyflym, gan rowlio llewys ei grys. Stwffiodd y dillad o'r golwg ar ben y peiriant condoms. Nid oedd erioed wedi deall pam fod peiriant felly yn y gwaith – ac yn y swyddfa ddiflas hon yn arbennig.

Tynnodd ei gwpan goffi oddi ar yr un peiriant lle'r oedd wedi ei adael bnawn Gwener. Nawr roedd yn barod am ffau'r llewod. Cerddodd i mewn yn bwyllog gyda'r gwpan yn ei law fel petai wedi bod yno ers oriau.

Roedd ei ddesg wrth y drws, ac eisteddodd yn sydyn gan obeithio nad oedd y Golygydd wedi sylwi arno'n cyrraedd yn hwyr. Cododd ei ben a sylwi fod hwnnw â'i drwyn yn y papurau ac yn siarad ar y ffôn 'run pryd gan wasgu'r derbynnydd rhwng ei ben a'i ysgwydd.

Trwy gil ei lygad, gwelai Elen wrth ei desg, ond chymerodd o ddim sylw ohoni. Eistedd a'i ben mewn pentwr o bapur roedd gohebydd arall, Phil Parry, yn llenwi'i dîm pêl-droed ffantasi fel arfer. Clywai leisiau'r gohebwyr eraill ond, am y tro, canolbwyntiodd ar ei ddesg ei hun gan weddïo nad oedd neb wedi sylwi ei fod yn hwyr.

Pe bai'r Golygydd wedi sylwi arno'n cerdded i'r swyddfa, gallai ddadlau ei fod wedi bod yn y llyfrgell ers wyth o'r gloch yn casglu lluniau o'r wythnos cynt. Roedd wedi gwneud hynny bnawn Gwener yn barod ar gyfer ei argyfwng bore Llun arferol.

Trodd y cyfrifiadur ymlaen. Cyn i'r sgrin oleuo'n llawn, trodd ei stumog wyneb i waered wrth glywed llais main y Golygydd yn ei alw draw.

'David,' – roedd wedi mynnu galw Dafydd felly ers y diwrnod cyntaf, ac roedd yntau wedi dysgu bellach peidio ag ymateb – '*Can I have a word? In my office.*' Pan roedd am i bawb yn y swyddfa wybod ei fod ar fin ceryddu, byddai'n defnyddio'r Saesneg. A phan ofynnai am air roedd pethe'n ddigon drwg ar y truan oedd ar fin cael ei flingo. Ond os oedd yn cael ei wahodd i fewn i'r swyddfa, yna roedd filwaith gwaeth. Dim ond mis oedd wedi mynd heibio ers i Dafydd fod yno'r tro diwethaf.

Atseiniai ei esgidiau ar y llawr pren ffug gan ei atgoffa am ffilmiau o garcharorion yn cerdded i'w cell. Gwenodd wrth sylwi fod ei feddwl yn rasio i bob cyfeiriad.

Sylwodd fod ysgrifenyddes Harri, Miss Davies, yn ei ddilyn i'r ystafell. Fel arfer, dim ond deuddydd yr wythnos a weithiai hi, a byth ar ddydd Llun. Od.

Swyddfa blaen, gyda chlamp o ddesg fawr dderw y gellid fod wedi chwarae snwcer arni, a lenwai'r ystafell. Cofiai ddarllen unwaith am seicoleg pobl oedd yn dewis cael desg fawr. Gweddai'n berffaith i gymeriad y Golygydd.

Pwysai Harri 'nôl yn y sedd oedd dipyn mwy nag o, tra eisteddodd Miss Davies ar gadair yn y gornel gyda'i llyfr nodiadau o'i blaen. Chafodd Dafydd ddim cynnig eistedd.

Roedd gwawr o felyn yn sbectol Harri bob amser gan ei bod yn gyfuniad o sbectol haul a sbectol ddarllen. Er mawr ddifyrrwch i'w staff, pan gerddai mewn gwynt cryf byddai'r gwydr yn troi'n dywyll gan ei ddallu'n llwyr.

Gwisgai'r un siaced o frethyn glas i'r swyddfa bob dydd, ac roedd yn falch o atgoffa pawb mai ei wraig oedd wedi pwytho'r sgwariau lledr ar benelin y llewys. Eilliai ei farf yn ofalus gan adael rhimyn denau wedi britho'n frownwyn ar hyd asgwrn ei ên ac o gylch ei wefusau tenau.

Cliriodd y bychan yn y sedd ei wddf cyn taro beiro ar y ddesg fel petai'n farnwr yn gofyn am ddistawrwydd mewn llys.

'Fel ti'n cofio, fis yn ôl, mi wnes i ddweud nad oeddan ni,' hoffai ddefnyddio'r lluosog fel petai'n un o nifer o arweinwyr pwerus, '. . . nad oeddan ni'n fodlon gyda dy waith. Ac fe gest ti rybudd teg yr adeg honno i gynhyrchu mwy o straeon ac, yn benodol, *page leads*.' Ategodd Miss Davies hynny trwy besychu'n ddiangen a syllu'n galed ar Dafydd cyn parhau â'i nodiadau.

'Ti heb wneud hynna. Does gen i ddim diddordeb yn be wnest ti cyn ymuno â'r papur yma. Dim o gwbl. Ti ond gystal â dy stori nesa. Dallt?' Ysgrifennai Miss Davies yn brysur. Taerai Dafydd gyda'r gweddill nad oedd hi wedi prynu dillad newydd ers jiwbilî cynta'r frenhines.

'Ti'n cael dy dalu'n dda iawn, a paid meddwl dy fod ti'n gallu galifantio rownd y lle fel roeddat ti ar *The Times* a dangos dy dlysau sgwennu i bawb.'

Brathodd Dafydd ei dafod. Bu'n rhaid iddo dderbyn toriad cyflog sylweddol i ddod yma. Go brin yr enillai ddeng mil bellach. Ond doedd fawr o ddewis ganddo, ac felly canolbwyntiodd ar ddarn o bapur ar y wal tu ôl i Harri wrth i hwnnw rygnu mlaen.

'Felly dwi'n dy roi di ar rybudd terfynol. Os nad wyt ti'n cynhyrchu stori dudalen flaen gref, ac o leiaf un fydd yn arwain ar dudalen flaen y rhifyn canolog o fewn pythefnos, fydd dim swydd iti yma.

'Mae'n ddigon teg ein bod ni'n disgwyl iti gynhyrchu straeon cryf fel dy ran di o dy gytundeb. Os nad wyt ti'n gwneud hynna, yna does dim rhaid i ni dy gyflogi di chwaith.'

Er ei waethaf, edrychodd Dafydd ar wyneb Harri a thaerai iddo weld rhithyn o wên yno. Ond nid chwarae oedd hwnnw o gwbl. A gan mai'r Golygydd oedd yn dewis beth oedd yn mynd ar ba dudalen, gwyddai fod hyn y nesaf peth at gael ei ddiswyddo. Roedd wedi amau o'r cychwyn nad oedd yn ei hoffi, ond nid yn ei gasáu gymaint â hyn.

'A paid â meddwl y gelli di gwyno wrth yr undeb chwaith, achos dwi wedi gwneud popeth yn deg yma heddiw, fel y gall Miss Davies dystio.'

Ar hynny, cododd Harri ar ei draed a dechrau siarad yn ddistaw gyda Miss Davies, gan amneidio ar Dafydd i ddychwelyd i'r stafell newyddion.

Aeth at ei ddesg a'i feddwl yn corddi bron gymaint â'i stumog ar ôl y noson cynt. Er ei fod yn casáu'r lle, allai o ddim fforddio bod heb waith, hyd yn oed am ddiwrnod, gyda'r dyledion oedd ganddo.

Daeth Chris, y golygydd newyddion, draw ato. Doedd gan yntau, fel gweddill y staff, ddim amynedd na pharch tuag at Harri chwaith.

Yn ddeg ar hugain oed, roedd ddwy flynedd yn hŷn na Dafydd. Edrychai dipyn yn hŷn na hynny o ganlyniad i bum mlynedd o weithio i asiantaeth newyddion tabloid yn Llundain, ac roedd golwg ar ei grys fel petai wedi cysgu ynddo. Roedd ei wallt du wedi'i slicio 'nôl fel cymeriad o'r pumdegau. Hagrai craith wen ei wefus isaf lle roedd pêl-griced wedi'i daro yn y gwyll un nos Sul, a fynta'n canolbwyntio mwy ar ferch organyddes y capel yn hytrach nag ar y bowliwr cyflym a'i wynebai.

'Penwythnos galed, Dafydd?' gofynnodd Chris, oedd â phentwr o bapurau yn ei law. Edrychai'n bryderus ar wyneb Dafydd, oedd yn wyn fel y galchen.

Er gwaetha'r parch tuag ato fel cyn-newyddiadurwr ar bapur mawr cenedlaethol, oni bai am help Chris yn yr wythnosau cyntaf, fuasai Dafydd fyth wedi llwyddo i gadw ei swydd gyda Harri'n pwyso gymaint arno.

Roedd y ddau wedi dod yn dipyn o ffrindiau ers mynd allan i feddwi un amser cinio bendigedig o ddiog pan fu raid i'r Golygydd fynd adre'n sâl.

'Ydi hi mor amlwg â hynna eto?' atebodd yntau, gan wenu'n wan a symud pentwr o bapur o un cornel ei ddesg i un arall. 'Mi ddysga i ngwers yn fuan, gobeithio. Ond dim tra mae'r cythraul yna ar 'y nghefn i bob munud.'

Gosododd Chris y gwpan wag ar y ddesg.

'Ddrwg gen i glywad. Ond falla nad ydi petha mor ddrwg ag maen nhw'n edrach ar y funud yma. Rown i am drio dy rybuddio i gadw o ffordd Harri – mae'r cythraul bach am waed pawb,' meddai Chris, gan godi'r gwpan, edrych ynddi a thaflu cip slei i gyfeiriad y Golygydd, cyn gwenu ar Dafydd.

'Rhy hwyr i hynna bellach.' Gwelodd aeliau Chris yn codi'n awgrymog. 'Ond 'na i ddeud wrtha ti rywbryd eto.' Doedd gan Dafydd ddim awydd mynd dros y rhybudd gafodd o gan Harri mor fuan ar ôl iddo ddigwydd.

'Be sy wedi digwydd i'r diawl, felly? Plîs deuda wrtha i fod un o'i gyd-fêsyns wedi'i arestio fo'n dreifio o'r clwb golff 'di meddwi?'

Eisteddodd gan wenu'n obeithiol ar Chris, taro ambell fotwm ar y cyfrifiadur ac yfed ei ddŵr.

'Na, dim byd cystal â hynna, mae'n ddrwg gen i.' Eisteddodd Chris yntau ar gornel desg Dafydd, yn wynebu'r Golygydd, oedd yn dal ar y ffôn. Parhaodd â'i stori.

'Mae'n debyg fod ei wraig wedi galw yma bnawn Gwener yn chwilio amdano. Mi aeth heibio'r *print room*, a'r unig foi yna oedd Keith *Piles*.' Gwenai Chris erbyn hyn.

'Keith?' meddai Dafydd. 'Mi alla i ddychmygu be ddigwyddodd wedyn os oedd hi'n ddigon gwirion i siarad efo'r geg fwya yr ochr yma i dwnnel Conwy.' Roedd o'n gwenu nawr, y cur pen a'r cyfarfod diflas wedi mynd yn angof am y tro.

'Mi ofynnodd i Keith, "*could you direct me to Mr Richards's office, please?*" A hwnnw'n deud wrthi yn geg i gyd ar ôl bod yn y Mackworth Arms amser cinio, "*Lord Richards, our beloved leader, usually resides upstairs, madam.*"

'Ond ddalltodd y gloman ddwl ddim fod Keith yn bod yn eironig a gofynnodd oedd ganddo fo ffug-enw bach arall am ei hannwyl briod. *"Come to think of it, you're right. We usually just call him Harry the bastard,"* meddai 'rhen Keith.'

Roedd Chris wedi llwyddo i gadw wyneb syth wrth i Dafydd dagu ei gwpanaid o ddŵr dros ei ddesg a'i gyfrifiadur.

'Gwylia dy hun, mae hynna'n *sackable offence* 'sdi. A na, nid ei alw fo'n Harri B dwi'n feddwl chwaith.' Cododd y papurau o flaen ei wyneb a darllen trwyddynt yn gyflym.

'Os ti awydd, mae 'na gwpl o straeon ar y ddesg bora 'ma, yn codi o'r galwadau i swyddfa'r heddlu a'r bobl wallgof arferol.' Rhifodd nhw ar ei fysedd.

'Mae 'na ddynas yn honni fod dyn wedi'i dilyn hi mewn car, ceisio ei gorfodi oddi ar y ffordd nes iddi banicio, a gyrru am filltiroedd ar hyd yr A55. Mae'n cwyno nad ydi'r heddlu'n ei chymryd o ddifri.

'Neu mae gen ti alwad gan David Richards o'r Eglwys-bach. Mae'n dweud bod bron i gar heddlu fod mewn gwrthdrawiad â'i *Jaguar* newydd sbon neithiwr, ac i'r heddwas ei fygwth wedyn.'

Wrth adrodd y stori, roedd Chris wedi plygu'i wddf yn ôl ac yn ffugio yfed o botel ac igian fel petasai wedi meddwi.

'Dim y Cynghorydd Richards?' Gwenodd Chris.

'Arglwydd! Mi fasa hwnna 'di gallu yfad Ollie Reed a Richard Burton dan y bwrdd ar nos Sul.' Aeth Chris yn ei flaen.

'Neu mae gen ti hanes corff wedi'i ganfod ar y rhcilffordd ger Eglwys-bach. Mae'n debyg i'r trên daro'r corff. 'Di o ddim yn debyg mai rhywun lleol ydi o. Ond cofiwch nad ydi hynna wedi'i gadarnhau am y tro.'

Dywedai hynna gan fod gohebydd arall wedi dod draw. Un ar hugain oed oedd Calvin Jac, ac roedd wedi'i eni a'i fagu yn yr ardal. Aeth yn syth o'r ysgol i weithio ar y papur gan na allai fforddio mynd i goleg. Roedd wedi ennill parch pawb yn fuan gyda'i frwdfrydedd a'i allu ysgrifennu.

Gwisgai siwt dywyll, drwsiadus a chrys gwyn, a byddai Dafydd yn tynnu'i goes ei fod yn steilio'i ddillad dan ddylanwad y ffilm *Reservoir Dogs*.

'Be mae'r bychan yma'n wneud?' gofynnodd Dafydd, wrth bwyso a mesur y straeon. Yn ddelfrydol, buasai'n dewis y stori symlaf, yr un a gymerai leia o amser, er mwyn ceisio cacl cysgu yn ei gar am rywfaint.

'Wel, croeso 'nôl, Calvin. Do, mi ges i wylia braf iawn, diolch ichi am ofyn,' meddai hwnnw gan ffugio ei fod yn flin. Roedd wrth ei fodd yn tynnu coes ei gyd-weithwyr.

'Dyma ichi botel o win gorau Groeg bob un,' meddai gan osod potel o Rctsina melyn fel cwstard ar ddesg Dafydd, ac un arall yn llaw Chris.

'Blydi hel! Gwin gora Groeg, efo *screwtops* yn lle corcyn? Mi gaiff hwn stripio'r walia 'cw,' medda Dafydd gan ffugio ei hedmygu, a gwenu'n llydan 'run pryd.

'A photel i chdi, wrth gwrs, Elen. Er nad ydw i'n disgwyl iddi bara tan amser cinio yn y lle 'ma!' meddai Calvin wrth y ferch oedd newydd gerdded draw.

Elen Davies oedd hi, gohebydd dan hyfforddiant, a ymunodd gyda'r papur yn syth o brifysgol Bangor ac a oedd wedi llwyddo i droi Harri rownd ei bys bach o fewn dim. Edrychai ychydig yn egsotig, gyda'i gwallt hir brown a'i chroen lliw cnau.

'Dwi'n siŵr y bydd rhai o fy ffrindia'n falch o hon,' meddai, gan wenu ar Calvin cyn edrych ar Dafydd.

'Diolch yn fawr iti am feddwl amdanan ni tra oeddat ar y traeth poeth,' meddai Chris. 'Ond ti 'nôl yn y ffau rŵan. Sgen ti rwbath ar y gweill bora 'ma, Calvin?'

Cuddiodd y botel yn gyflym yn nrôr Dafydd, o olwg y Golygydd.

'Mae'r adran farchnata newydd ddeud wrtha i fod gen i stori hys-bys hyfryd i'w sgwennu am fusnas newydd lleol, sy'n cynnig tabledi herbal trwy'r post neu dros y we, neu rhyw rwtsh tebyg. Mae gwobr newyddiaduraeth BT o fewn 'y nghyrradd i, hogia!' atebodd Calvin.

Ysgydwodd Chris y pentwr papurau o'i flaen gan ddweud mewn llais ffug ddifrifol,

'Straeon hys-bys marchnata ydi bywoliaeth y papur yma, cofia di.' Trodd at Dafydd. 'Gyda llaw, Inspector Llywelyn sy yng ngofal yr achos yna yn Eglwys-bach, dwi'n meddwl.'

'Ifan Llywelyn, ti'n feddwl?' gofynnodd Dafydd gan roi ei gwpan i lawr ar y ddesg ac estyn am ei lyfr nodiadau.

'Ie,' meddai Chris gan wybod yn iawn mai un o hen ffrindiau Dafydd ers dyddiau ysgol oedd pennaeth ditectifs y Gogledd, y swyddog ieuengaf erioed i ddal y swydd yn hanes heddlu'r ardal.

'Be am i Elen fynd yna efo chdi bora 'ma, i ddysgu,' awgrymodd Chris. 'Mi sgwennodd goblyn o stori dda yr wythnos ddiwethaf, os ti'n cofio, am ofnau trigolion lleol ynghylch diogelwch ar y croesffyrdd rheilffordd.'

Gwridodd Elen. 'Doedd o ddim mor anodd â hynna. Roeddan nhw wrth eu bodda'n cael cyfle i gwyno'n gyhoeddus,' atebodd.

Ond doedd Dafydd ddim yn cytuno. 'Dwi ddim yn meddwl 'i fod o'n syniad da. Mae'n swnio'n stori reit ych a fi, y corff wedi'i chwalu'n ddarna mân yn ôl be glywish i gynna,' meddai'n frysiog.

Edrychodd Chris yn od arno.

'Be dach chi'n neud yn fanna'n siarad a wastio amser?' Torrodd llais blin y Golygydd ar eu traws, wrth i'r pwtyn 'sgyrniog frasgamu draw atyn nhw. Teimlai Dafydd ei stumog yn troi'n waeth.

'Cyfarfod bore, Mr Richards. Trafod straeon y dydd ac ati,' meddai Chris mewn llais llawn ffug-syndod fod unrhyw un yn ei gyhuddo o ddim arall.

'Ond pam na wnaethoch chi aros amdana i?' oedd ateb hwnnw wrth iddo syllu'n amheus ar sgrin Dafydd.

'Roeddach chi ar y ffôn ac roedd rhaid trafod y straeon ar frys. Corff ar y lcin yn Eglwys-bach. Stori fawr, o bosib.'

Gwelodd Dafydd ei gyfle i ddianc a cheisio gwneud argraff gynnar i achub ei swydd. Bachodd ei lyfr nodiadau oddi ar y ddesg a diffodd y sgrin cyn i'r Golygydd gael cyfle i syllu'n rhy fanwl arni.

'Dwi am fynd i Eglwys-bach – os ydi hynna'n iawn efo chdi. Oes 'na ddyn camera wedi'i drefnu'n barod?'

'Mae un ar y ffordd yna'r funud hon,' meddai Chris wrth gerdded 'nôl at ei ddesg ei hun a rhoi gweddill y papurau yn nwylo Calvin.

Pan welodd y Golygydd fod pawb fel petaen nhw'n gweithio'n galed, aeth 'nôl at ei ddesg yntau. Er bod swyddfa ganddo, roedd yn well ganddo eistedd ynghanol y stafell i gadw golwg ar bawb.

Bellach roedd Dafydd wedi'i heglu hi i'r toiled i nôl ei ddillad, cyn gwenu'n ddel ar Charlie ar y ddesg a rhedeg am ei gar.

Canodd ei ffôn fel roedd y car yn tanio. Enw Calvin oedd ar y sgrin fach.

'Diolch yn fawr am hynna – mi gofia i,' meddai mewn llais blin, er fod Dafydd yn gallu gweld y wên tu ôl i'r geiriau.

'A paid â phoeni, mae Elen am gael dysgu efo gohebydd go iawn bora 'ma,' meddai dan chwerthin.

'Dwi'n siŵr ei bod hi, er nad ydi'r stori farchnata'n swnio'n fawr o ddim,' meddai Dafydd, 'a ti'n dal rhy ara'n bachu'r straeon gora, ngwas i.' Taflodd olwg euog o'i amgylch gan ei fod yn gyrru â'r ffôn wedi'i wasgu rhwng ei glust a'i wddf.

'A cofia ddefnyddio dy synnwyr cyffredin efo'r straeon am y ddynas niwrotig a'r alci 'na rŵan. Os na fyddi di'n ofalus mi fyddi'n sgwennu stori at ddydd Iau am ET yn glanio yn Nyffryn Conwy ne' rwbath tebyg!'

A chyn i Calvin gael cyfle i ddweud dim byd arall wrtho, gwasgodd y botwm i dorri'r cysylltiad.

2. Y CORFF

Cyrhaeddodd y fan lle chwalwyd y corff gan y trên fel roedd yr ambiwlans yn gadael yn bwyllog; doedd dim angen y golau glas. Parciodd Dafydd mewn cilfan drws nesaf i un o'r tri char heddlu oedd yno. Diolchodd yn ddistaw bod y glaw wedi peidio o'r diwedd. Ond gadawodd y bag plastig ar y sedd rhag ofn.

Gwelodd fod Jackson Graeme, ffotograffydd y papur, ar fin gadael yn ei gerbyd Sierra glas. Prin y gwelai ei wallt du blêr y tu ôl i'r olwyn gan ei fod mor fyr, ac roedd yn ysmygu fel stemar bob amser. Gwisgai wasgod saffari fel arfer a phob un o'r pymtheg poced arni'n llawn o ffilmiau a lensys amrywiol. Cododd Jackson ei law arno, ac agorodd ei ffenest, gan reoli'r olwyn ac ysmygu 'run pryd, cyn gweiddi arno,

'Dwi wedi cael ychydig o luniau – fawr o stori, a deud y gwir, er fod John Evans, y ffarmwr sy bia'r tir, yn dwcud fod y *cops* wedi bod yma drwy'r nos. Mi 'nân nhw unrhyw beth am *overtime* 'de.'

'Oes 'na rywun arall wedi bod draw tra wyt ti wedi bod yma?' gofynnodd Dafydd.

'Dwi'n meddwl fod y boi Benson 'na o'r *Daily Post* ar wylia, ond mi fuodd y BBC yma'n gynharach hefyd. Rhyw ohebydd ifanc 'on i ddim yn nabod oedd hon. Newydd ddechra, dwi'n meddwl. Reit. Mae gen i ddeg munud i gyrraedd Penmaen-mawr. Wela i di, Daf.' A gyrrodd ymaith ar ras wyllt.

Rhuodd car Jackson heibio wrth i Dafydd gerdded at y giât. Daeth heddwas nad oedd yn ei adnabod ato, a'i atal rhag mynd ymhellach. Roedd ei fochau a'i drwyn yn sgleinio'n goch gyda chyfuniad o gerdded strydoedd ymhob tywydd, ac yfed cwrw.

'Ddrwg gen i, ond chewch chi ddim mynd i fewn,' meddai hwnnw mewn llais uchel, hunan-bwysig gan sythu fymryn wrth fyseddu'i felt llydan. 'Rydan ni'n chwilio am *evidence*. Mae hwn yn *potential crime scene*. Alla i ddim gadael i chi fynd i fewn.' Pwysleisiai'r geiriau yn Saesneg fel petai hynny'n rhoi mwy o bwys iddynt.

Cyn i Dafydd fedru dweud gair, pwysodd yr heddwas ymlaen fymryn gan hanner sibrwd yn gyfrinachol ac edrych dros ei ysgwydd tuag at weddill y swyddogion yn y cae.

'Damwain neithiwr. Bachgen ifanc wedi'i ladd gan drên,' meddai gan nodio'i ben yn awgrymog i arwyddo y dylai Dafydd fod yn falch o gael rhannu'r fath wybodaeth. Roedd hwn yn hen law, mae'n amlwg, wedi treulio ugain mlynedd fel heddwas cyffredin.

'Ond mae'r Prif Arolygydd Ifan Llywelyn yn fy nisgwyl,' atebodd Dafydd yn hyderus. 'Mi ddywedodd yn gynharach y basa'n iawn i fi alw draw. Dafydd Smith ydi'r enw a dwi'n gweithio i'r papur lleol. 'Di hon ddim yn stori fawr, na'di?' gofynnodd.

Ysgwyd ei ben wnaeth yr heddwas wrth ystyried yr hyn roedd Dafydd wedi'i ddweud, cyn penderfynu ei bod hi'n rhy beryglus i godi gwrychyn uwch swyddog.

'*Chief Inspector*. Mae 'na Dafydd Smith o'r *Coast*

Weekly yma yn deud 'i fod o wedi trefnu i'ch cyfarfod chi fan hyn. Ydi o'n cael mynd yn bellach, neu fasa'n well ganddoch chi mod i'n cadw golwg arno fo fan hyn tra dach chi'n gorffen eich archwiliad?'

Ddecllath i ffwrdd o'r giât bren bydredig safai dyn mewn pâr o wêdars pysgota du hynafol a chot law las tywyll North Face gyda'r *hood* wedi'i dynnu i fyny. Trodd ei ben pan glywodd yr heddwas yn galw'i enw. Syllodd ar Dafydd, heb wenu am eiliad, fel petai'n pwyso a mesur rhywbeth. Yna amneidiodd â'i law i'r heddwas agor y giât.

'Rhaid ei bod yn fore diflas tu hwnt acw i'r *Chief Inspector* gael ei alw i achos fel hyn,' meddai Dafydd yn hanner cellweirus wrth agosáu drwy'r cae at ei ffrind. Doedd y gwair gwlyb heb ei dorri ers blynyddoedd a chyrhaeddai at ei gluniau.

'Neu wyt titha hefyd yn cuddio rhag bòs bach blin ar fora Llun diflas ar ôl dy benwythnos arferol?' ychwanegodd Dafydd cyn ysgwyd llaw estynedig Ifan, er ei fod wedi ei adnabod ers pan oedd yn blentyn.

Safai'r ddau ynghanol y cae gyda'r rheilffordd yn rhedeg trwyddo ac ar hyd cyrion y goedwig tuag at Gyffordd Llandudno. Clywid murmur traffig yr A55 fcl haid o wenyn o bell. Sŵn cras brân yn crawcian oedd yr unig beth arall i'w glywed.

'Sefyll fewn dros ffrind,' atebodd Ifan yn ddidaro. Roedd ganddo wyneb main rhedwr marathon cydwybodol, a chwaraeai â beiro wen blastig yn ei law gan ei fod newydd roi'r gorau i smocio.

'Does 'na ddim lot o stori yma ichdi chwaith, 'sdi.

Un ai hunanladdiad neu ddamwain. Mae'n rhy gynnar i ddweud eto. Dyn ifanc, efallai yn ei arddega hyd yn oed, wedi'i daro gan drên gyda'r nos neithiwr, toc cyn naw. Fe welodd y gyrrwr y corff, ond lwyddodd o ddim i stopio mewn pryd.

'Roedd yn gorwedd wyneb i lawr ar y trac a'i ben tuag at y giât, fel tasa fo wedi dod o gyfeiriad y goedwig,' meddai Ifan gan gyfeirio at y goedwig â'i feiro.

'Pwy oedd y gyrrwr? Ydi o'n lleol? Does dim cwestiwn fod bai o gwbl arno fo, nac oes?' gofynnodd Dafydd, wrth feddwl sut y gallai roi ongl leol arall ar y stori.

'Na. Mae'r cradur druan wedi cael diawl o sioc, ac mae o draw yn y 'sbyty ar hyn o bryd yn cael ei drin am hynna. Neil Jones ydi'i enw fo. Mae o'n cadw ffarm fach ym mhen pella'r dyffryn. Tro cynta i rywbeth fel hyn ddigwydd iddo fo. Tydi hynna heb ei gyhoeddi eto, felly cadwa fo dan dy het am y tro.'

Trodd Ifan i wynebu'r giât a chodi'i law i bwyntio eto â'i feiro, oedd wedi'i chnoi'n ddidrugaredd.

'Yn bendant, ddaeth y bachgen ddim o'r cyfeiriad arall, ar draws y cae. Does 'na ddim olion o gwbl yno. Ac mae hynna'n od, achos mae'n golygu ei fod o wedi gadael y ffordd fawr tua Glan Conwy a cherdded trwy dair milltir o goedwig cyn cyrraedd y trac.

'Ond efo'r holl law 'na, mae'n bosib iawn mai baglu neu lithro i lawr honna wnaeth o, ar ôl mynd ar goll,' meddai Ifan gan gyfeirio at y bonc serth a arweiniai o'r goedwig at y rheilffordd.

'Siŵr fod lleuad lawn neithiwr wedi bod yn help i'r

gyrrwr weld y corff,' meddai Dafydd wrth edrych o'i amgylch a cheisio cyfrannu rhywbeth at y sgwrs wrth i'r cur pen waethygu yng ngwynt main y bore.

'Yn amlwg fuest ti ddim allan neithiwr, naddo,' meddai Ifan yn sych, gan edrych yn od ar Dafydd. 'Roedd hi'n goblyn o storm neithiwr, neu oeddat ti yng nghanol storm fach arall tua Bangor Uchaf 'na fel arfer?'

Anwybyddodd Dafydd y cwestiwn gan geisio ei orfodi'i hun i feddwl yn galed cyn gofyn, 'Ti'n meddwl 'i fod o ar goll falla, ac wedi disgyn wrth geisio croesi?'

'Mae'n bosib. Ond pwy yn ei iawn bwyll fasa'n meddwl am gerdded trwy'r goedwig ar y fath noson â neithiwr, dwi ddim yn gwybod.' Dechreuodd Ifan gerdded tuag at y rheilffordd.

'Does gynnoch chi ddim syniad pwy ydi o, felly?' gofynnodd Dafydd, wrth ei ddilyn. Teimlai ei drowsus yn prysur sugno'r glaw oddi ar y glaswellt.

Ysgydwodd Ifan ei ben gan wthio'r gwair hir o'r neilltu â'i ddwy law, wrth i'w drowsus yntau wlychu trwyddo, er gwaetha'r *wellingtons*.

'Ddim ar hyn o bryd. O'i rycsac a'i sgidia cerddad mi ddyfalwn i mai bodiwr oedd o. Tramorwr, o bosib, gan mai math Ortlieb oedd ei rycsac, sef cwmni o'r Almaen. Dydyn nhw ddim yn gyffredin yn y wlad yma. Ond mi rydan ni'n reit siŵr ei fod wedi treulio'r wythnosa diwethaf mewn gwlad boeth gan fod ei freichiau'n frown fel cnau, a strap gwyn lle roedd ei oriawr wedi bod.

''Dan ni heb gael hyd i honno hyd yma, chwaith.

29

Ond nid dyna'r unig beth sy'n mynd ar goll wrth i drên dy chwalu'n ddarna wrth deithio ar dros drigain milltir yr awr,' meddai'n sych.

Tynnwyd cortyn plastig oren o amgylch a thros y mannau lle roedd darnau o'r corff wedi eu canfod.

Croesodd y ddau y rheilffordd a cherdded i fyny'r llethr serth gyferbyn. Sylwodd Dafydd fod dau heddwas arall yn y goedwig o'u blaenau, yn ogystal â'r pedwar oedd yn y cae'n archwilio o amgylch y rheilffordd.

'Os daeth o drwy'r goedwig, mae'n siŵr mai'r ffordd yma y daeth o. Mae 'na ôl rhywun yn llithro ar garreg yma, ac olion gwaed ar rai o gerrig y wal hefyd.

'Falle iddo lithro a tharo'i ben. Wedyn mae'n bosib ei fod wedi codi'n ddryslyd ac yna disgyn i lawr i'r rheilffordd wedyn. Cofia, dwyt ti ddim i adrodd hynna, gan nad ydi'r cwest wedi'i gynnal eto. A dyfalu hyn oll rydan ni ar hyn o bryd, wrth gwrs.'

Nodiodd Dafydd ei ben. Roedd y glaw yn disgyn eto, a'r cymylau du uwchben yn addo storm a hanner arall. Dechreuodd grynu. Pwysai'r ddau nawr ar y wal gerrig, gan edrych ar y fan lle llithrodd y bodiwr y noson cynt.

Trodd Ifan i edrych ar Dafydd, ac wedi oedi dipyn, dywedodd yn ofalus, 'Biti dy fod ti ac Anna wedi methu dod i'r parti ddoe. Roedd yr hogia wedi siomi'n fawr, 'sdi. Ond doedd mo'r help ei bod hi'n sâl. Ydi hi'n well erbyn hyn? A dwyt titha ddim yn edrach yn rhy dda dy hun heddiw, o ran hynny. 'Nest ti gysgu o gwbl?'

Cymerodd Dafydd arno nad oedd wedi clywed rhan olaf y cwestiwn.

'Ydi, mae hi'n iawn rŵan, a dwi'n iawn heblaw mod

i wedi gwylio llwyth o rwtsh ar y teledu neithiwr a chysgu drwy'r larwm bora 'ma. Mae gen i anrhegion i'r hogia hefyd. Mi wna i alw draw yn fuan i'w gweld. Mae'n siŵr eu bod nhw'n tyfu'n gyflym rŵan?'

Cadwodd Dafydd ei lygaid oddi ar wyneb Ifan wrth siarad a sylwodd hwnnw pa mor gyflym roedd wedi newid y pwnc. Penderfynodd Ifan barhau â'i adroddiad, gan ddal i gil-edrych ar Dafydd.

'O. Reit. Beth bynnag. Pryd bynnag sy fwya cyfleus i ti. Wel, fel y gweli, mae'r gwair wedi chwalu dipyn fan hyn, fel tasa'r boi wedi gorwedd i lawr, sydd eto'n od o feddwl am y storm 'na neithiwr.

'Falla 'i fod o wedi meddwi, neu wedi cael *concussion*. Pwy a ŵyr ar hyn o bryd. Mi gawn ni wybod mwy ar ôl y *post mortem*, mae'n siŵr, a gweld be oedd yn ei waed o.' Cododd *hood* ei got eto wrth iddi ailddechrau glawio – dafnau trwm oedd yn addo tywydd gwaeth.

'Be? Ti'n meddwl fod gwerth cael *post mortem* ar ôl i'r trên chwalu'i gorff o ar draws y cae?' gofynnodd Dafydd, gan stwffio'i lyfr nodiadau i'w boced rhag y glaw.

'Mi synnat ti faint o wybodaeth elli di gael o *bost mortem* erbyn heddiw,' atebodd Ifan yn hyderus. ''Di'r tywydd 'ma ddim yn help, ond mi gawn ni rwbath ohono fo, dwi'n siŵr.'

Trodd at y ddau heddwas.

'Evans, sgen ti rwbath yn fan'na?' meddai wrth un ohonynt oedd ar ei bengliniau yn syllu'n ofalus ar foncyff coeden.

'Dwi ddim yn siŵr, syr,' meddai hwnnw heb dynnu'i

lygaid oddi ar y goeden. Roedd menig plastig clir am ei ddwylo, a chrafai'r pren yn ofalus â chyllell fechan. 'Mae'n edrach fel petai rhywun wedi taro bwyell neu rwbath fel'na ar y goeden 'ma. Ond eto, all o ddim bod yn fwyall chwaith.

'Mae'n ddwfn, ond eto mae'r toriad yn berffaith rownd y boncyff, yn hanner cylch. Fel tasa rhywun wedi defnyddio cryman. Ac mae o'n reit ffres hefyd. Yn bendant, mae o wedi digwydd o fewn y pedair awr ar hugain diwetha.'

Edrychodd Ifan ar Dafydd, oedd yn gwrando'n astud. 'Fel ti'n gweld, mae 'na lwyth o wybodaeth o gwmpas y lle 'ma, ond dwi'n reit siŵr mai damwain oedd hon. Hunanladdiad o bosib, ond damwain fwy na thebyg.'

Roedd Dafydd yn adnabod Ifan yn hen ddigon da bellach i ddeall arwyddocâd yr awgrym o flaen y plismyn eraill.

'Diolch iti am hyn, ond well i fi fynd 'nôl i'r swyddfa rŵan. Mae gen i stori arall ar y gweill hefyd, am bobl yn gyrru o amgylch liw nos a chogio eu bod yn blismyn. Glywsoch chi rwbath am hynna, *Chief Inspector*?' meddai'n ffurfiol o flaen y plismyn eraill.

Edrychodd Ifan yn galed arno am eiliad, cyn taflu'i olygon dros ysgwydd Dafydd.

'Mae 'na honiad wedi'i wneud, fel ti'n gwybod, a 'dan ni'n ymchwilio i'r mater, fel pob un arall 'dan ni'n ei dderbyn gan y cyhoedd.'

O'i lais, gwyddai Dafydd fod cap heddwas ei gyfaill 'nôl ar ei ben eto ac y byddai'n well iddo fynd gan na châi fwy o wybodaeth y bore hwnnw.

'Diolch eto, *Chief Inspector*, am eich amser,' meddai a chynnig ei law cyn ychwanegu, 'ond pwy yn ei iawn bwyll fasa eisiau chwarae ar fod yn blismyn a gwneud eu hunain yn amhoblogaidd, yndê?' A cherddodd yn gyflym drwy'r cae cyn rhoi cyfle i Ifan ei ateb. Safai hwnnw gan edrych arno'n brasgamu odi wrtho.

Er ei dynnu coes, chwerthin oedd y peth olaf ar feddwl Dafydd wrth gerdded yn ei ôl at y car. Stori drist oedd hon yn sicr, gyda rhywfaint o gwestiynau i'w hateb a chysylltiad lleol oherwydd y gyrrwr. Tybed a allai berswadio hwnnw i siarad? Roedd ei enw'n canu cloch.

Ond amheuai nad oedd y stori'n ddigon cryf – o bell ffordd – i fachu'r dudalen flaen ac achub ei swydd.

3. Y FFERMWR

Er fod y gwynt main yn brifo, roedd wedi helpu i glirio'i ben a'i fywiogi, ond roedd nawr yn crynu fel deilen. Dringodd dros y giât cyn i'r heddwas sylwi ei fod yno na chael cyfle i'w hagor.

Wrth nesáu at ei gar, sylwodd ar ffermwr byr, ei sgwyddau wedi crymu gan henaint a chap stabal am ei ben, yn pwyso ar y giât yr ochr arall i'r ffordd. Smociai sigarét fach wen flêr, ac roedd ei got Barbour werdd bron â gwisgo'n dwll mewn ambell le.

Roedd Dafydd wedi ysgrifennu stori ar yr un ffermwr fis ynghynt ar ôl i'w wartheg ennill gwobr yn y Sioe Frenhinol.

'Sut 'da chi bora 'ma, Mr Evans? Doedd gen i ddim syniad fod ganddoch chi gaeau yn y pen yma o'r dyffryn,' cyfarchodd ef gan gerdded tuag ato. Nid yn unig roedd John Evans yn un o amaethwyr mwyaf cefnog yr ardal, ond fo hefyd oedd swyddog undeb y ffermwyr. Roedd yn un o gysylltiadau pwysicaf Dafydd fel gohebydd lleol.

'Ddim yn ddrwg, Dafydd. Ddim yn ddrwg o gwbl. Er, cofia di, mae prisia gwartheg a defaid yn dal yn rhy isal o beth coblyn, a does gan y mab fenga 'cw – fwy na'r gweddill – ddim awydd mynd i ffermio. Ond wela i ddim bai arno fo, chwaith. Beth bynnag, be arall ti'n ddisgwyl gan ffermwyr ond cwyno?' meddai gan wenu.

34

Cyfeiriai at gyngor Golygydd y *Coast Weekly* i Dafydd ar ei ddiwrnod cyntaf, fod ffermwyr bob amser yn cwyno. Rhannodd Dafydd y stori fach honno gyda John Evans yn y dafarn un amser cinio, ac roedden nhw'n ffrindiau byth ers hynny. Tynnodd y ffermwr y sigarét fach o'i geg a'i defnyddio i gyfeirio at y plismyn.

'Busnas digon trist ar y rheilffordd 'na. Hogyn ifanc, yn ôl be dwi'n ddallt, ia?' gofynnodd yn hamddenol gan syllu heibio i Dafydd at y plismyn.

'Ia. Ond does dim syniad ganddyn nhw eto pwy ydi o – er, mae'n reit debyg nad rhywun lleol oedd o chwaith,' atebodd Dafydd. Cofiodd sylwadau cynharach y ffotograffydd. 'Un o'ch caeau chi ydi hwn, yndê? Oeddach chi neu rai o'ch gweithwyr yma neithiwr?'

Rhoddodd John Evans y sigarét 'nôl yn ei geg wrth i Dafydd bwyso mlaen ar y wal gerrig. Roedd ond yn rhy falch o leihau'r pwysau oddi ar ei draed am eiliad.

'Oeddwn, tad. Ond dim ond ar ôl y ddamwain. Dyma'r lle ola rown i am fod ar noson fel neithiwr. Mi ges i alwad gan yr heddlu tua naw o'r gloch yn deud eu bod ar y tir oherwydd damwain ar y rheilffordd. Fi sy bia'r goedwig 'na hefyd. Felly mi ddes draw i gadw golwg rhag ofn fod rhai o'r anifeiliaid wedi'u hanafu. Mi fues i yma am dipyn, ac roedd dwsina o blismyn ar hyd y lle fel morgrug.' Oedodd i geisio ailgynnau'r sigarét cyn edrych ar Dafydd.

'Oedd 'na unrhyw beth arall am neithiwr, neu glywsoch chi fwy o fanylion ganddyn nhw?' Synhwyrai Dafydd fod yr hen ffermwr eisiau dweud mwy.

'Faswn i ddim fel arfer yn sôn am betha fel hyn, ond gan mai chdi ydi o, wela i ddim rheswm i beidio deud. Dwi heb weld y fath sioe ers i fi ddod o hyd i'r hogyn 'na o ffwrdd wedi cael ei ddyrnu gan rywun a'i adael wedi'i glymu yn y goedwig acw yn haf naw deg saith.'

Cododd Dafydd ei ben. Roedd yr *hangover* wedi hen glirio, a'i chwilfrydedd naturiol wedi'i danio.

'Pa achos oedd hwnna, felly?' holodd. 'Roedd hynna mhell cyn fy amser i yn y rhan yma o'r byd.'

Edrychodd John Evans arno. 'Roedd hi'n uffar o stori ar y pryd; mi gafodd sylw mawr yn y papura a ballu. Yn lleol, beth bynnag.'

'Ond mi faswn i'n siŵr o fod yn cofio clywed rhywbeth am stori fel'na,' atebodd Dafydd. Brathodd ei dafod i'w atal rhag dweud nad oedd fawr ddim o bwys wedi digwydd yn yr ardal ers iddo ef fod yno. Ddywedodd y ffermwr 'run gair, dim ond dal i edrych tua'r cae.

'Rhyfadd, yndê? Dwi heb glywed sôn am y peth. Dach chi'n cofio be ddigwyddodd, Mr Evans?' prociodd eto yn hanner gobeithiol, gan geisio rhyddhau tafod y ffermwr. Oedodd hwnnw cyn parhau â'i stori.

'Wna i fyth anghofio be welish i y diwrnod hwnnw. Achos ofnadwy. Pnawn Gwener ola mis Awst oedd hi, a finna efo'r ci yn chwilio am ddefaid oedd wedi dianc trwy dwll yn y weiran. Dwi'n siŵr mai potshiars oedd wedi'i thorri.

'Beth bynnag am hynna. Rown i mewn cae tua hanner milltir o fan hyn pan glywish i sŵn yn dod o'r coed. Rown i'n meddwl mai'r potshiars oedd yna, er ei bod hi'n ganol dydd, felly dyma fi'n codi'r gwn rhag ofn. Maen nhw'n gallu bod yn giwad ddigon peryglus, wyddoch chi. Yn sydyn reit dyma 'na hogyn yn rhedag allan o'r coed a golwg ofnadwy arno fo, fel tasa fo wedi gweld y diafol ei hun. Roedd ei ddillad wedi'u rhwygo, ei ddwylo 'di'u clymu tu ôl i'w gefn, ac roedd 'na waed drosto fo i gyd.

'Mi redodd yn syth ata i a sgrechian siarad mewn iaith dramor. Dim yn aml dwi'n cael ofn, ond mi gododd gwallt 'y mhen pan welish i o. Roedd ei lygaid ar agor led y pen fel dwy soser fawr.

'Dwi'n ddiolchgar hyd heddiw fod y gwn a'r ci efo fi, neu falla baswn innau wedi rhedag. Roedd o'n edrych dros ei ysgwydd bob yn ail eiliad, fel tasa rhywun ar ei ôl. Yn amlwg roedd o'n ceisio dianc oddi wrth rywun neu rwbath, ond welish i ddim golwg o unrhyw beth. Roedd y ci'n cyfarth fel ffŵl, ond mi waeddis arno fo i aros lle roedd o.

'Down i ddim am iddo fo fynd ar gyfyl y coed heb wybod be oedd yna. Mi dawelish i'r hogyn fymryn a thorri'r rhaff oedd am ei ddwylo efo 'nghyllall bêlio, ac yna roedd o'n mynnu mynd allan o'r cae mor gyflym â phosib.

'Roedd o'n gwaedu'n reit hegar hefyd o glwyf yn ei goes a'i fraich, felly 'nes i benderfynu mynd â fo i'r ysbyty'n syth bìn a ffonio'r heddlu. A deud y gwir, rown i ond yn rhy falch o fynd o'r lle achos roedd yr olwg arno fo, a'i weiddi o, wedi nychryn i braidd.'

Gyda hynny, ysgydwodd y ffermwr ei ben a phoeri ar y llawr wrth i Dafydd rythu arno a byseddu trwy ei lyfr nodiadau i chwilio am dudalen lân.

'Ond be ddigwyddodd nesa 'ta, Mr Evans? Un o lle oedd o, felly? Mae'n raid fod yr heddlu wedi cychwyn ymchwiliad ar ôl ymosodiad o'r fath,' parablodd Dafydd, wrth sgriblo sgwennu yn ei lobscows o law-fer unigryw ei hun.

'Mae'n debyg mai teithiwr oedd yr hogyn, o Sbaen dwi'n meddwl. Beth bynnag, roedd o wedi cael coblyn o ofn, ac mewn sioc. Yn od iawn, fe waethygodd ei gyflwr pan welodd bobl yn yr ysbyty, a chafodd yr heddlu ddim synnwyr gannddo o gwbl. Sioc, mae'n debyg. Bu raid i'r doctoriaid roi tawelyddion iddo fo, ac mi fynnodd mod i'n aros efo fo am dipyn.

'Ond mae'n rhaid nad oedd wedi'i anafu'n rhy ddrwg, achos mi adawodd yr ysbyty ganol nos, drwy'r ffenest, a welodd neb mohono wedyn. Os cofia i'n iawn, enw ffug roddodd o i'r heddlu. Chawson nhw hyd i ddim byd yn y goedwig chwaith. Achos od dros ben oedd o.

'Mae'n dal i godi ias arna i amball waith pan fydda i yn ymyl y caeau 'ma. Dyna pam nad ydw i'n gwneud rhyw lawar efo'r rhain, a deud y gwir, er fod pawb arall yn meddwl mai dechra diogi yn fy henaint ydw i.'

Clywai Dafydd sŵn aderyn yn canu uwchben wrth iddo geisio dychmygu'r olygfa welodd yr hen ffermwr yn y cae bron i bedair blynedd ynghynt.

'Ond mae'n siŵr fod stori fel'na wedi cael lot o sylw ar y pryd, Mr Evans?'

'Ddim felly, naddo. Dyna pryd y buodd Diana farw yn y ddamwain yn Paris, a dim ond straeon yn y *Coast Weekly* a rhyw bwt yn y *Daily Post* dwi'n gofio. Mi gafodd sylw'n lleol, wrth gwrs, ond rhywsut mi ddiflannodd popeth efo hanes Diana.

'Mi fydda i'n dyfalu weithia be ddigwyddodd i'r cradur. Roedd yn rhyfadd iawn, achos roedd fel tasa fo'n mynd yn fwy ofnus wrth iddo gael ei holi a gweld mwy o bobl yn yr ysbyty.' Chwibanodd yn isel ar ei gi, a dechreuodd gerdded tuag at ei gar oedd gerllaw. 'Ia, busnas od iawn; mae'n well gen i beidio meddwl gormod am y peth a deud y gwir.'

Agorodd ddrws ei gar, a disgwyl i'w gi neidio i mewn cyn eistedd yn sedd y gyrrwr, a'r sigarét a rowliodd ei hun yn dal yn ei geg heb ei smocio.

'Cyn i chi fynd, Mr Evans, ga i ddefnyddio'r hyn rydach chi newydd ddweud wrtha i, os dwi'n cael caniatâd i ysgrifennu'r stori 'ma, a falle defnyddio llun hefyd?'

'Wela i ddim pam lai, fachgen. Dwi'n siŵr fod pawb yn yr ardal yn dal i gofio, er nad oes neb fyth yn siarad amdano fo. Mae fel rhyw gyfrinach dywyll mae pawb yn gwybod amdani ond ag ofn deud 'run gair yn ei chylch. Fel maen nhw'n deud yn y ffilm 'na, *keep off the moors at night*. Mi fasa'n haws ichi ddefnyddio'r llun gafodd ei dynnu gan y papur ar y pryd, yn basa.'

Aeth Dafydd yntau i'w gar gan feddwl yn ddwys am y stori a phigo trwy dudalennau ei nodiadau wrth ystyried y stori anhygoel a glywsai gan John Evans.

Torrodd canu ei ffôn symudol trwy ei feddyliau, a thynnodd ef o'i boced, ond yn rhy hwyr. Roedd newydd golli galwad gan Calvin. Ffoniodd ef tra eisteddai yno'n meddwl am yr hyn roedd John Evans wedi'i ddweud wrtho.

'Calvin, sut mae petha ar y *sharp end*, a be alla i neud i chdi?' holodd yn gellweirus, ac ond yn rhy falch o gael y cyfle i siarad gyda rhywun arall ar ôl sgyrsiau digon dychrynllyd y bore.

'Diolch am ffonio 'nôl. Dydi Elen na fi ddim rhy siŵr be i neud ynghylch y stori 'dan ni newydd ddechra arni, a deud y gwir. A gan dy fod ti'n nabod rhai o'r heddlu'n dda, meddwl oeddan ni ella y basat ti'n gwybod sut i fwrw mlaen.'

Byddai Calvin yn aml yn gofyn ei gyngor, gan ei fod wedi hen ddysgu ei wers i beidio mynd â dim at y Golygydd.

'Pa stori ti'n sôn amdani? Nid y stori hys-bys am y siop neu'r busnas newydd 'na gobeithio!'

'Na, dwi dal heb fod yno eto. Newydd orffan siarad efo'r Cynghorydd David Richards ydw i. Ac mae o'n taeru ar y Beibl fod car heddlu bron wedi'i orfodi i yrru i mewn i'r clawdd neithiwr pan oedd o ar ei ffordd i dŷ ei chwaer.

'Ar ei ffordd 'nôl adra, a fynta'n dal wedi dychryn braidd, mi welodd yr un car wrth ochr y lôn. Mi arhosodd i weld beth oedd yn bod ac i roi pryd o dafod i'r gyrrwr pan welodd o heddwas yn dringo dros y wal. Pan ddechreuodd gwyno wrtho, mi fuodd hwnnw'n reit haerllug efo Mr Richards a'i orchymyn i yrru i ffwrdd ar unwaith.'

Crynodd y ffôn yn llaw Dafydd. Roedd newydd dderbyn dwy neges tecst.

'Mae 'na rywbeth arall y dylsat ti gofio am Mr Richards. Dydi o byth yn yfad ar y Sul. Dwi'n gwybod sut mae o weddill yr wythnos, ond fyth ar y Sul. Am ryw reswm od, mae Elen a finna'n ei goelio fo. Yn bendant doedd dim ogla diod arno fo, ac roedd o'n swnio'n ddigon siŵr o'i ffeithiau. Ti'n meddwl y gallwn ni fynd ar ôl yr heddwas 'ma?'

'Yli, hyd yn oed os ydi o'n wir, yna 'di o ddim yn ddiwadd y byd, nac'di? Mae o'n swnio fel plismon digon blin sy ddim eisiau gweithio ynghanol storm, ac yn anghofio bod yn gwrtais.

'Dwi'n siŵr y gallwn ni ddod i wybod pwy 'di'r plisman, a hynny'n reit hawdd. Ond wyt ti wir eisiau'r holl draffath ddaw efo'r stori? Os wyt ti'n rhoi cic i blisman rŵan mewn stori, chei di fawr o help gan yr heddlu yn y dyfodol. Cofia di, wnaiff o ddim drwg i gael gair efo rhywun i ddeud ein bod ni'n gwybod am y stori, ond nad ydan ni ddim am brintio dim. Fel'na falla y cawn ni ffafr yn ôl rhywbryd.'

Bu tawelwch yr ochr arall i'r ffôn wrth i Calvin bwyso a mesur geiriau Dafydd, a sylweddoli fod ci ffrind yn dweud y gwir.

'Wyt ti am fynd rŵan i weld y ddynes 'na oedd yn cael ei dilyn?' gofynnodd Dafydd, i geisio gwneud i Calvin deimlo'n well. 'Gwylia dy hun, cofia! Wela i di 'nôl yn y swyddfa mewn awr. Rhaid imi fynd, mae Chris yn trio ffonio.'

Sylwodd ar Ifan Llewelyn a phlismon arall yn cerdded drwy'r glaw i'w car gan aros ger hen fan John Evans.

'Chris, sut wyt ti,' meddai, gan roi'r ffôn wrth ei glust

arall a hanner poeni fod y teclyn bach am doddi ei ymennydd.

'Haia. Newydd ddallt be oedd Harri'n ddeud wrtha ti peth cynta bora 'ma. Paid â poeni gormod, ti'n gwybod yn iawn dy fod yn gallu sgwennu, yn dwyt? Ond ti'n dallt, gobeithio, nad chwara mae o, a fod rhaid iti ddod â stori dda i fewn yr wythnos yma. Pnawn Merchar fan bella. Neu bydd wythnos nesa'n amhosib iti.'

Bu tawelwch am eiliad wrth i Dafydd rwbio'i law rydd yn galed trwy'i wallt.

'Diolch. Falla fod hon yn stori reit dda. Mae'n debyg mai teithiwr wedi mynd ar goll oedd y boi laddwyd neithiwr. Dwi am fynd draw i swyddfa'r heddlu wedyn i gael mwy o fanylion.'

Cofiodd yn sydyn am y sgwrs gafodd o gyda John Evans. 'Oeddat ti ddim efo'r papur yma bedair blynedd 'nôl, nag oeddat?' gofynnodd yn sydyn.

'Pedair blynedd 'nôl? Ti'n meddwl mod i'n wallgo? Na, dim ond blwyddyn o dy flaen di 'nes i ymuno. Rhaid i fi fynd 'nôl i'r swyddfa rŵan, neu mi fydd Harri'n holi.'

Cofiodd Dafydd fod negeseuon tecst ganddo i'w darllen ar y ffôn oddi wrth dad Anna, yn gofyn a wyddai lle roedd ei ferch. Am ryw reswm roedd wedi anfon yr un neges ddwywaith. Dim ond i bwysleisio'r ffaith, mae'n siŵr.

Er ei fod yn disgwyl neges o'r fath, roedd hi'n dal yn sioc. Gwyddai nad oedd tad Anna'n ei hoffi o gwbl o'r cychwyn a bod ei deimladau wedi gwaethygu trwy gydol cyfnod eu perthynas.

Caeodd ei lygaid a theimlo'i galon yn carlamu tra corddai ei stumog fel petai ar fin chwydu. Am fore a hanner! Allai bywyd fynd yn waeth? gofynnodd iddo'i hun. Haws fuasai canolbwyntio ar ei waith, penderfynodd, wrth yrru 'nôl i'r swyddfa. Gallai anghofio am bethau am awr neu ddwy o leiaf.

Chwaraeodd â'r syniad o fynd i'r dafarn yn gyntaf, ond galw ar Huw y llyfrgellydd a wnaeth, gan osgoi'r stafell newyddion. Ei chwilfrydedd a orfu dros ei awydd i fynd i guddio mewn tafarn eto.

4. Y LLYFRGELLYDD

Aeth yn syth i'r llyfrgell gan fod y swyddfa mor brysur ar fore Llun, ac roedd yn awyddus i chwilio am unrhyw archif yn ymwneud â stori John Evans.

Ystafell flêr, ddiffenestr yng nghrombil yr adeilad oedd y llyfrgell, lle cedwid copi o'r holl straeon a lluniau a gyhoeddid yn y papur bob wythnos.

Llyfrgellydd y papur oedd Huw, gŵr peniog, moel ond ifanc, oedd ynghanol ei ymchwil PhD. Ar ei drwyn eryr, gwisgai sbectol drwchus ag iddi ffrâm ddu. Edrychai fel gwyddonydd gwallgo, a fo oedd yr unig un a ddeallai gymhlethdodau'r system ffeilio – yr unig ffordd i wneud yn siŵr na châi fyth y sac, medda fo.

Yn ôl ei arfer, roedd Huw yn eistedd ar bentwr o focsys yn llawn ffeiliau. Doedd dim cadair yn yr ystafell. Daliai siswrn yn un llaw a chopi o rifyn yr wythnos flaenorol yn y llall. Roedd yn mwmian canu wrtho'i hun wrth dorri'r dudalen yn ei law yn rhannau bychan destlus. Gwisgai un arall o'r siwmperi gwlân tywyll roedd ei wraig yn eu gwau iddo, er fod hon hefyd braidd yn rhy fach – hyd yn oed i'w ffrâm eiddil ef.

'Sut wyt ti bora 'ma, Huw? A sut mae'r ymchwil 'na'n mynd yn ei flaen?' meddai Dafydd, wrth geisio eistedd gyferbyn ag ef ar bentwr o ffeiliau brown, cyn penderfynu nad oedden nhw'n ddigon diogel i gynnal ei bwysau.

'Go lew; mae 'na gymaint o ddeunydd i'w gynnwys,

mae'n anodd gwybod erbyn hyn beth i'w daflu allan,' atebodd yntau gan hanner canu'r frawddeg, a'i lais yn swnio fel un bachgen pedair ar ddeg oed yn hytrach na dyn tri deg a saith.

Gwyddai Dafydd bellach nad oedd pwrpas tynnu sgwrs gyda Huw am unrhyw beth heblaw ei ymchwil neu gynnwys y llyfrgell. Pe byddai'n cychwyn siarad am ei wraig, fyddai dim stop arno. Meddyliodd am eiliad a oedd yn beth creulon i feddwl amdano fel y dyn tebyca i Mr Bean welodd o erioed.

'Wel, dyma rwbath i dynnu dy feddwl oddi arno fo. Sgen ti gof am stori yn Nyffryn Conwy tua phedair blynedd yn ôl – hogyn o Sbaen yn dianc o goedwig Pen-parc? Roedd o wedi'i glymu a'i drywanu. Mi gafodd ei achub gan John Evans, y ffarmwr 'na 'nes i stori arno fo ychydig wythnosa 'nôl pan enillodd y gwpan am y gwartheg gorau yn y Sioe Frenhinol.'

Heb air, cododd Huw a phigo'i ffordd yn ddeheuig drwy'r pentyrrau papurau at focs yn y gornel a dewis ffolder lychlyd, oedd wedi hen felynu, ohono. Fe'i hagorodd, ac ar ôl rhedeg ei fysedd trwyddo, dewisodd ddalen a'i hestyn i Dafydd.

Arni roedd copi o'r stori wreiddiol o Awst 1997. Roedd yn cynnwys llun o John yn y cae gyda'i gi, yn pwyntio tuag at y goedwig. O dan y llun roedd y stori'n cadarnhau popeth a ddywedodd y bore hwnnw, gan gynnwys gair byr gan lefarydd yr heddlu yn dweud mai enw ffug a roddodd y bachgen iddyn nhw ac iddo adael yr ysbyty ganol nos. Yn eu barn nhw, bechgyn ifanc yn chwarae tric neu'n ceisio tynnu sylw oedd y tu ôl i'r holl beth.

Ar hyn o bryd, meddai yn yr adroddiad, doedd dim byd pellach y gallen nhw ei wneud, ac os nad oedd y bachgen am ddod yn ôl i wneud cwyn swyddogol, byddai'r ffeil yn cael ei chau.

Doedd dim rhyfedd, felly, nad oedd wedi clywed unrhyw sôn am y stori, meddyliodd Dafydd. Sylwodd ar enw ei ragflaenydd fel gohebydd yr ardal ar waelod y stori.

'Oes 'na rywbeth o werth yn y stori rydach chi newydd ei chael gen i, Dafydd?'

Eisteddai Huw, gan hanner canu ei gwestiwn, ei lais yn codi a gostwng yn felodaidd, heb godi ei ben, tra daliai ati i dorri mwy o dudalennau'n ddarnau destlus. Mynnai alw pawb yn 'chi', a siaradai'n ffurfiol bob amser.

'Dwi'n meddwl fod 'na – er, oni bai am yr hyn ddywedodd John Evans wrtha i bore 'ma, faswn i ddim yn edrych ddwywaith arni, a deud y gwir.

'Gwranda, oes 'na ragor o straeon yn dilyn hon? Mae'r ffeil 'na i weld yn eitha llawn, neu jest dy ffordd di o storio pethau ydi o?' gofynnodd gan hanner chwerthin.

'Na, honna oedd yr unig stori; doedd dim un wedyn. Fe wnaeth y gohebydd, George Thomas, ymddeol yn reit fuan ar ôl hynny. Ond fe wnes i gadw'r stori gyda'r pentwr arall achos dyna oedd George eisiau. Os dach chi'n meddwl fod stori arall yr wythnos yma fydd yn mynd i'r un ffeil, mi wna i ei chadw wrth law. Unrhyw beth i wneud fy mywyd bach i dipyn yn haws, yndê?'

Wrth weld Dafydd yn edrych arno, cododd ac estyn am y ffeil a'i chynnig hi iddo.

Agorodd honno a dechrau darllen trwy gyfres o straeon yn estyn 'nôl i ddechrau'r saith degau. Enw'r gohebydd, George Thomas, oedd ar y rhan fwyaf ohonyn nhw, er fod rhai o'r straeon cynharaf heb enw. Aeth Huw ymlaen i dorri'i dudalennau gan fwmian canu.

O fewn hanner awr daeth Huw at y dudalen olaf, a gan mai hon oedd y dudalen chwaraeon fe'i gadawodd hi'n gyfan a'i rhoi mewn bocs wrth ei ben-glin.

Trodd ei ben a sylwi fod Dafydd yn dal yno'n pori'n dawel drwy'r straeon. Roedd golwg syn ar ei wyneb a'i lyfr nodiadau'n prysur lenwi wrth ei ochr.

'Dwi am fynd am ginio,' meddai Huw. 'Oes rhywbeth arall ti eisiau? Ti'n edrach braidd yn welw – well iti fynd allan i'r haul a chadw o'r stafell fach hon neu fe fyddi mor boncyrs â fi. Mae'r wraig acw'n deud nad ydw i byth wedi bod 'run fath ers dechra gweithio yma, ond yn ôl Mam dwi wedi bod yn boncyrs criocd,' ychwanegodd.

Am y tro cyntaf, doedd Dafydd ddim yn teimlo awydd chwarae gêm fach Huw. Roedd y straeon wedi gwneud iddo feddwl yn galed ac wedi codi ias oer i lawr ei gefn. Ond doedd bosib y gallai hyn oll fod yn wir?

'Cyn iti fynd, sgen ti gyfeiriad ar gyfer George Thomas, gohebydd yr ardal 'ma o 'mlaen i? Neu rif ffôn iddo, hyd yn oed. Dwi'n meddwl y gallai o fy helpu efo ychydig o ymchwil.'

Estynnodd Huw am y llyfr ffôn, gan roi cyfeiriad y gohebydd iddo. Cyn gynted ag y cafodd Dafydd y rhif

anfonodd neges i Calvin yn gofyn iddo alw heibio'r
llyfrgell.

* * *

Darllen drwy'r un pentwr straeon eto roedd Dafydd pan
ddaeth Calvin ac Elen i mewn. Roedd wedi anghofio fod
Elen yn gweithio efo fo'r bore hwnnw. Teimlai braidd yn
euog am fod mor flin efo hi a phawb arall yn gynharach.

Roedd wedi penderfynu rhannu'r stori gyda'r
gohebydd ifanc, yn rhannol am ei fod angen trafod sut i
fwrw mlaen gyda'r ymchwil, ac roedd hefyd yn rhag-
weld y byddai angen help arno.

'Diolch am dy gyngor gynna – roedd yr ail stori 'ma
dipyn gwell. Dynas o Gonwy yn deud fod rhywun
wedi'i dilyn yn ei char am filltiroedd, yn gyrru reit tu ôl
iddi a cheisio'i tharo oddi ar y lôn.' Roedd y bwrlwm a'r
cyffro'n fyw yn llais Calvin.

'Mae'r heddlu wedi bod draw yn ei holi'n barod ac
maen nhw'n cynnal ymchwiliad hefyd. Doedd hi ddim
yn gallu rhoi disgrifiad manwl o'r ddau ddyn oedd yn y
car, dim ond deud eu bod wedi'i dychryn hi'n rhacs,'
ychwanegodd Elen gan daflu ambell gipolwg ar y llyfr
nodiadau o'i blaen.

Edrychai Calvin ar Dafydd, a'i lygaid bron fel ci
bach, yn disgwyl i rywun wenu gan ei fod yn ysgwyd ei
gynffon.

'Swnio'n ddifyr iawn. Os ydi'r heddlu'n cynnal
ymchwiliad hefyd, ac nid dim ond wedi cymryd
datganiad, yna mae gen ti le i fwrw mlaen, on'd oes?'

Calvin oedd yr unig un oedd yn dal i fwynhau gwneud

straeon newyddion cymuned am gyfarfodydd o'r cyngor, meddyliodd Dafydd, heb sôn am stori'n cynnwys yr heddlu a llofruddiaeth. Roedd yn siŵr o fynd yn bell yn ei yrfa. Nawr roedd Dafydd am roi clamp o stori yn ei gôl.

'Dwi'n meddwl fod stori gen i fan hyn hefyd. Falla nad ydi hi'n ddim mwy na chyd-ddigwyddiad, ond dwi'n siŵr fod rhywbeth yna. Ti'n gwybod y cae lle cafodd corff ei ganfod ar y rheilffordd neithiwr?'

Amneidiodd Calvin gan dynnu llyfr nodiadau allan. Roedd llaw-fer berffaith ganddo fo bron o'r cychwyn, ac roedd Elen wedi bod yn astudio mewn dosbarthiadau nos.

'Fe ymosodwyd ar deithiwr neu fodiwr yn yr union goedwig honno bedair blynedd yn ôl. Achos reit gas lle roedd o wedi'i rwymo a'i boenydio â chyllell cyn iddo lwyddo i ddianc.'

Roedd stori Dafydd wedi hoelio sylw Calvin ac Elen yn barod.

'Ond yn rhyfeddach fyth, mae 'na straeon tebyg yn ymestyn 'nôl ddeng mlynedd ar hugain yn yr ardal, am ymosodiadau ar ddynion. Mae 'na ambell stori am rai'n cael eu lladd hefyd, er nad oedd neb yn rhy siŵr pam y buodd y rheiny farw. Does neb erioed wedi cael eu dal na'u cyhuddo, na'u harestio hyd yn oed.'

Edrychai Calvin yn syn, a dechreuodd fodio drwy'r pentwr papurau a lluniau roedd Dafydd yn cyfeirio atyn nhw.

'Ti'n meddwl fod 'na gysylltiad rhwng y corff yna neithiwr a'r hen hanesion yma?' gofynnodd.

'Hyd yn oed os nad oes cysylltiad gyda'r ddamwain, dwi'n meddwl fod hon yn dipyn o stori, on'd ydi?

49

Dwi'n rhyfeddu nad oes neb wedi sylweddoli o'r blaen, a deud y gwir.

'Dwi wedi trefnu mod i'n mynd i holi'r gohebydd sgrifennodd y straeon gwreiddiol yna y pnawn 'ma. Be hoffwn iti . . .' Cywirodd ei hun yn gyflym. 'Be hoffwn i chi wneud gyntaf ydi paratoi copïau o'r hen straeon yma. Does wybod be all ddigwydd iddyn nhw yn y bedlam yma.'

Nodiodd Calvin ac Elen yn frwd.

'Oes gan y ddau ohonoch chi amser rhydd i wneud tipyn o waith ar y stori yma?' gofynnodd Dafydd. 'Am y tro, dwi ddim am ddeud gair wrth y Golygydd. Mi ga i air efo Chris pan fydd o wedi gorffen yn y swyddfa heddiw.'

Roedd y wên lydan ar wyneb Calvin yn dangos yn glir beth oedd ei farn o. Eisoes roedd yn llenwi llyfr nodiadau â'i law-fer dwt.

'Mi wna i gopïau o'r rhain rŵan, ond yn anffodus mae'n rhaid i fi fynd i weld y deintydd pnawn 'ma. Alla i mo'i newid o, mae'n ddrwg gen i,' meddai Elen. 'Ond galla i dy helpu di yn nes ymlaen, Calvin.'

'Iawn, siŵr,' meddai yntau. 'Gad y copïau ar fy nesg i a Dafydd a ffonia fi wedyn. Ond yn gynta mae'n rhaid i fi wneud y stori hys-bys 'na, neu mi fydd yr adran farchnata am fy ngwaed i.

'Wedyn 'na i drio cael hyd i rai o'r bobl sydd yn y straeon yma, falla – ddylsa hi ddim bod rhy anodd. Ti am fynd at yr heddlu, dwi'n cymryd?'

'Ydw,' atebodd Dafydd gan gerdded 'nôl a mlaen ac ystwytho'i wddf â'i ddwylo. 'Mi wna i hynna ar ôl siarad efo'r George Thomas 'ma. Falla bydd o hefyd yn gallu bod o help yn cael gafael ar ambell un. Mi ro i ganiad iti os bydd gen i rywbeth.'

Canodd ffôn symudol Dafydd a gwelodd enw Chris, y golygydd newyddion, ar y sgrin. Atebodd ar unwaith.

'Dafydd, sut mae petha? Dim ond gair byr i dy atgoffa fod rhaid cael y stori 'ma wedi'i gorffen erbyn bore Mercher. Dwi'n sylweddoli mod i a'r Golygydd yn gofyn lot, ond fel'na mae hi.' Defnyddiai Chris ei lais ffug-swyddogol i ddangos fod eraill yn gwrando.

Clywai Dafydd lais y Golygydd yn gweiddi ar draws y swyddfa, yn gofyn i Chris ble'r oedd o. Hwnnw'n ateb 'nôl, 'swyddfa'r heddlu, yn cael cyfweliad'.

'Felly, fel ti'n gweld, does dim lot o amser, ond fel roeddat ti'n dweud wrtha i gynna, mae'n swnio'n stori dda.'

Diolchodd Dafydd iddo ac addo y byddai'n cysylltu'n nes mlaen efo braslun o'r stori. Trodd nawr at Calvin.

'Os gweli di Huw cyn iti fynd, paid â rhoi'r argraff ein bod ni ar drywydd rhywbeth neu mi fydd o siŵr dduw o ddweud wrth rhywun. Mae rhai o'r straeon yna'n codi ias oer arna i – fod rhywun yn gallu cam-drin person arall i'r fath raddau.'

'Ti'n meddwl fod cysylltiad rhwng y rhain i gyd?' gofynnodd Elen. 'Mae 'na flynyddoedd rhwng rhai ohonyn nhw, ac mewn ardaloedd pell iawn oddi wrth ei gilydd hefyd.'

'Dwn i ddim. Ond mi fydda i'n gwneud yn siŵr fod drws y fflat wedi'i gloi'n iawn heno.'

Edrychiad digon od gafodd o gan Elen.

5. Y GARDDWR

Garddio fu prif ddiddordeb George Thomas erioed. Yn ôl ei arfer, yn yr ardd gefn yr oedd y pnawn hwn, yn chwynnu ger sièd bren, sgwâr oedd wedi'i pheintio'n frown yn ddiweddar. Roedd drws honno ar agor.

Ar y ffôn yn gynharach dywedodd wrth Dafydd mai yn yr ardd y byddai, a bod croeso iddo alw draw unrhyw bryd. Er bod ei wallt yn wyn, edrychai dipyn yn fengach na saith deg oed. Daliai yn ei ddwylo llydan fwced llawn chwyn.

Gosododd y fwced yn ofalus ar lwybr o gerrig gwastad a redai drwy'r ardd, a rhwbio'i ddwylo'n ofalus yn ei drowsus melfaréd glas tywyll oedd wedi gwisgo'n llyfn ac wedi'i dycio'n dwt i'w *wellingtons*.

'Helô 'na. Mae'n dda gen i gwrdd â chi o'r diwedd,' meddai Dafydd gan estyn ei law wrth gerdded ar draws lawnt y buasai garddwr *Lords* yn falch ohoni.

'A chithau, Mr Tomos. Falch iawn o gwrdd efo chi. Roedd yn anodd gen i gredu mai rhywun fel chi, o bawb, wnaeth fy olynu ar y papur. Dwi'n darllen eich gwaith chi bob wythnos, ac yn ei edmygu'n fawr. Croeso ichi. Gawsoch chi drafferth dod o hyd i'r lle 'ma?'

Ysgydwodd Dafydd ei ben, gan droi i guddio'r gwrid oedd ar ei wyneb. Meddyliodd am rywbeth i droi'r sgwrs yn sydyn er mwyn osgoi'r cwestiynau oedd yn siŵr o ddilyn am ei yrfa cyn y *Coast Weekly*.

Doedd o ddim yn arddwr, ond roedd y lawntiau

taclus, y perthi siapus a'r coed ffrwythau o'u hamgylch yn creu awyrgylch hamddenol braf.

'Mae 'na le braf gynnoch chi fan hyn. Mi ddylsach feddwl am agor y lle i'r cyhoedd yn lle'u bod nhw'n gwastraffu'u hamser yn gwylio'r teledu a gwrando ar y clowns yn cogio'u bod nhw'n gallu garddio.'

Chwerthin wnaeth George.

'Dwn i ddim am hynna. Ond mae hwn jest y lle i ymlacio y dyddia yma. Mi gymerwch chi baned,' meddai George gan gerdded at y sièd. Datganiad yn hytrach na chynnig. Pwysodd i mewn i'r sièd a tharo tecell bychan oedd yn prysur stemio ymlaen eto ar stôf nwy fechan.

'Well i chi ddod i mewn, mae am lawio unrhyw eiliad. Dim ond stormydd am y dyddia nesa 'ma, gen i ofn,' meddai gan daro'i fys yn ysgafn yn erbyn *barometer* a hongiai ar gefn y drws.

Eisteddodd ar ben hen focs afalau wedi'i orchuddio â sach, ac amneidio ar Dafydd i eistedd ar yr un gyferbyn. Mae'n amlwg ei fod yn disgwyl ymwelydd, ac iddo ferwi'r dŵr yn barod, gan i'r tecell llawn chwibanu ar unwaith.

'Dim ond te fedra i 'i gynnig, mae'n ddrwg gen i. Helpwch eich hunan i siwgr a llefrith.' A gyda hynny estynnodd hen gwpan i Dafydd cyn eistedd i lawr ar ei focs.

'Rhaid imi gyfaddef, mi ges i nghyffroi er fy ngwaethaf gan eich galwad am yr hen straeon 'na. Mi wnes i dreulio amser hir iawn ar y rheina, ond mynd yn oer wnaethon nhw yn y diwedd, heb gael unrhyw ateb.

'Rown i wedi llwyddo i anghofio amdanyn nhw, a deud y gwir, tan yr alwad yna, er mod i'n cofio pob manylyn. Ond pam dach chi â diddordeb ynddyn nhw rŵan?' Edrychai'n graff ar Dafydd.

Cymerodd Dafydd lwnc sydyn o'i gwpanaid te wrth edrych dros dudalennau ei lyfr nodiadau. Roedd wedi meddwl am hyn yn ofalus.

'Ar hyn o bryd dwi'n meddwl dechra colofn edrych 'nôl mewn hanes – chwilio am straeon difyr, diddorol neu anghyffredin o'r gorffennol. Mi fasa'n ffordd dda o lenwi tudalen o flaen llaw bob wythnos, ac o brocio diddordeb pobl. A hefyd roeddan nhw'n fy nharo i'n reit od. Wedi'r cyfan, ardal fechan iawn ydi hi, ac roedd pethau mor debyg i'w gilydd yn digwydd dros gyfnod o flynyddoedd.

'Dwi'n meddwl mai'r ffordd orau fasa i chi ddweud wrtha i, os dach chi'n fodlon, be wnaeth eich denu chi at y straeon yn y lle cynta? Wedi'r cyfan, mae'r ffeil yn dal yn y swyddfa heddiw; mae'n amlwg eich bod chi'n meddwl fod rhywbeth ynddyn nhw i'w cadw nhw efo'i gilydd fel'na.'

Pwysodd George 'nôl ar y bocs afalau nes bod ei ysgwyddau'n cyffwrdd â'r wal a'i goesau wedi ymestyn o'i flaen; pwysodd ei ben yn ôl gan chwythu ar ei de a'i sipian bob yn ail.

'Tua 1970 oedd hi. Ia, dyna ni, haf 1970, pan wnes i ddechra cymryd diddordab o ddifri mewn straeon y clywis amdanyn nhw gyntaf yn y tafarndai. Dipyn o destun jôc i gychwyn, a deud y gwir, oeddan nhw yn yr ardal yma.

'Ar y dechra rown i'n meddwl mai'r cyfan oedden nhw oedd dynion wedi meddwi ac wedi cael cweir, ac yn ceisio cyfiawnhau pam fod hynna wedi digwydd.

'Roedd 'na dri achos i gychwyn rown i'n gwybod amdanyn nhw, wedi digwydd o fewn tua pum mis i'w gilydd. Ymhob achos roedden nhw'n digwydd gerllaw tafarn fechan ddiarffordd rhywle oddi ar yr A5.

'Fel arfer, dyn yn cerdded adre ar ei ben ei hun wedi meddwi a rhywun wedi ymosod arno. Mi gafodd un dyn gweir go hegar, a'i daro hefo pastwn neu ddarn mawr o bren, a'i adael yn gorwedd yn anymwybodol ar ganol y ffordd. Roedd o'n lwcus i fod yn fyw, a deud y gwir.

'Yn ôl rhai, gŵr priod yn dial ar rywun am gael perthynas â'i wraig oedd wrth wraidd yr ymosodiadau. Ond wnes i erioed goelio hynna. Roedd gormod o'r achosion yma. Ond ar ôl holi'r dynion yn fanwl, roedd 'na rywbeth eitha anghyffredin yn yr ymosodiad, heblaw am y ffaith fod pastwn neu wialen yn cael ei defnyddio'n ddieithriad.

'Roedd yr ymosodiadau bob amser yn digwydd yn y nos, ac roedd y dynion yn siŵr fod yr ymosodwr yn gwisgo rhyw fath o iwnifform. Allen nhw ddim deud be yn union, ond roedden nhw'n hollol siŵr o hynny.

'Yna roedd y ffaith fod cyllell neu bastwn yn cael ei defnyddio'n ddieithriad, a dim ymgais i ddwyn arian na dim felly. A beth wnaeth fy nharo i oedd sut roedd y gŵr 'ma i'w weld yn gorfodi'r dynion, trwy fygwth neu ergydion, i orwedd ar y llawr ac erfyn am dosturi.'

Ysgydwodd George Thomas ei ben cyn gorffen ei

baned. Crynai ei law fymryn wrth iddo osod ei gwpan ar y bwrdd pren.

'Chlywais i ddim am y fath beth yn fy mywyd. Rhaid cofio mai dynion digon caled oedd y rhain, ond eto roeddan nhw wedi cael ofn difrifol. Roedd 'na sôn hefyd fod mwy o ymosodiadau wedi digwydd, ond fod y dynion hynny ofn dweud dim yn gyhoeddus.

'Tua blwyddyn ar ôl hyn, fe gafwyd hyd i gorff tramp ar yr A5. I gychwyn, edrychai fel petai wedi cael ei daro gan gerbyd – *hit and run* arall. A dyna oedd dyfarniad y cwest. Ond yn ôl *contact* oedd gen i yn swyddfa'r crwner, roedd tystiolaeth fod yna hen anafiadau ar y corff – hynny ydi, rhai oedd wedi cael eu hachosi cyn iddo gael ei daro gan y cerbyd – ac mi fuasai'r rheiny wedi hanner ei ladd. Ond doedd yr heddlu ddim am chwilio'n bellach i'r achos. Doedd gan y gŵr yma ddim teulu, a fawr o neb i'w gweld yn poeni, a deud y gwir. Ond, mi roedd 'na un wnaeth ddal ati hefo'i ymchwiliad. Ddo i ato fo yn y man.

'Roedd gweddill y straeon yn rhai digon od hefyd. Mi fu farw ffermwr mewn tân mewn tŷ anghysbell, ond doedd o ddim yn smocio nac yn yfed, a boncyff yn disgyn oddi ar y tân oedd i'w feio, mae'n debyg.

'Dwi'n cofio meddwl ar y pryd ei bod hi'n beth od na wnaeth o ddeffro, achos yn y gegin y cafwyd hyd i'w gorff o a'i gi, ac nid yn yr ystafell wely. Mi fasach chi'n disgwyl i'r ci fod wedi gwneud digon o sŵn i'w ddeffro, yn basach?

'Heblaw am y rheiny, mi gafodd nifer o yrwyr lorri oedd yn cysgu yn eu cerbydau ar ochr ffordd yr A5 gweir hefyd, ond yn yr achosion yna mi gafodd nifer o eitemau personol ac arian ei ddwyn. Gwaith lladron oedd dyfarniad yr heddlu. Ond dwi ddim mor siŵr.

'Roedd 'na debygrwydd eto rhwng y rhain a'r ymosodiadau cynnar 'na ar ddechrau'r saith degau. Yn ôl un gyrrwr, roedd yr ymosodwr yn gwisgo lifrai milwr, neu set o ddillad *camouflage*, ond mae'r rheina'n ddigon cyffredin, wrth gwrs. Mae'n debyg hefyd ei fod o'n gwisgo masg lledr unwaith, math o falaclafa rhyfedd.'

Roedd Dafydd wedi hen anghofio am ei baned wrth iddo stryffaglu i gofnodi'r manylion. Roedd George Thomas yn dal i bwyso 'nôl ar y bocs a'i freichiau bellach wedi'u plethu, er bod y gwpan yn dal yn ei law.

'Wrth weithio ar un o'r achosion yma mi wnes i gwrdd â ditectif ifanc, ac o siarad efo fo a rhannu fy amheuon, mi ddywedodd wrtha i, *off the record*, ei fod yn meddwl mai gwaith yr un dyn oedd y cyfan.'

Pwysodd George ymlaen yn ei sedd. 'Ac roedd o'n credu fod pwy bynnag oedd yn gyfrifol yn mynd yn fwy treisgar hefo pob ymosodiad, a dyn a ŵyr be wnâi o os na châi ei ddal yn reit handi.

'Rhaid iti gofio fod yr ymosodiadau wedi digwydd dros gyfnod o saith mlynedd, ac roedd y cysylltiadau rhyngddyn nhw, ar un olwg, yn denau iawn.

'Beth bynnag. Roedd o'n blismon da, trwyadl dros ben, ac mi addawodd y basai'n cadw mewn cysylltiad. Doedd o ddim yn cael fawr o gefnogaeth gan ei benaethiaid, oedd yn eitha eiddigeddus ohono fo, am wn i. Mi ddaethon ni a'n teuluoedd yn dipyn o ffrindiau hefyd, er mod i dipyn hŷn na fo.'

Distawodd ei lais ac roedd mymryn o gryndod ynddo. 'Tua blwyddyn yn ddiweddarach, roedd o'n gweithio ar drywydd addawol iawn, medda fo, ac roedd o hefyd yn amau ei fod o'n gwybod sut y llwyddodd y dyn 'na i aros yn rhydd gyhyd.

'Fe ddywedodd wrtha i unwaith, er na wnaeth o 'rioed ddatgelu manylion yr achosion eraill roedd o'n gweithio arnyn nhw, "dwi'n meddwl fod rhywun yn hela dynion yn y dyffryn 'ma, 'sdi".'

Gyda hynna, ochneidiodd George a phwyso mlaen i osod ei gwpan yn ofalus ar y silff bren lle roedd cartref y tecell, y tun siwgr a'r jŵg fechan o lefrith.

'Mi wnes i anghofio am y stori wedyn. Roedd gwraig a dau o blant ifanc gen i, ac rown i'n brysur. Ond o wybod be ydw i'n wybod bellach, dwi'n difaru hynna'n fwy na dim arall yn fy mywyd. Mi wnawn i unrhyw beth i allu troi'r cloc 'nôl. Falle rŵan ei bod hi'n amser i rywun arall roi ymgais arni.'

Oedodd i bigo gwelltyn yn ofalus oddi ar ei drowsus cyn ei ollwng ar y llawr.

'Yna, fel rown i'n tynnu at ddiwedd fy nghyfnod fel gohebydd, fe ddes i ar draws y stori 'na y darllenaist ti amdani o 'naw deg saith. Achos ofnadwy oedd o hefyd; honna oedd fy wythnos ola i yn y gwaith, a'r plant wedi hen dyfu a gadael cartref.

'Ond er dadlau'n hir efo'r diawl o olygydd 'na, fe wrthododd adael imi gysylltu'r straeon o'r saith degau efo honna, nac i aros mlaen am fis arall chwaith, er bod y straeon yn ddigon tebyg. Felly fe wnes i adael, a dwi heb feddwl mwy am y peth.'

Gyda hynna fe bwysodd 'nôl unwaith eto gan edrych trwy ddrws agored y sièd.

Roedd rhywbeth yn tynnu ar feddwl Dafydd wrth iddo sgubo'n ôl trwy ei nodiadau. Sylweddolodd beth oedd o.

'Ond beth am y plismon 'na, y ditectif ifanc 'na y daethoch chi'n ffrindiau efo fo? Wnaeth o ddim cysylltu'n ôl fyth? Roedd o'n swnio'n ddigon penderfynol on'd oedd? A lle mae o heddiw – ydi o'n dal yn yr heddlu?'

Trodd George i edrych ar Dafydd, gan aros am eiliad hir cyn siarad, a'i lais pan ddechreuodd siarad yn araf a phell i ffwrdd. Bellach roedd haul y pnawn yn taro'n isel drwy'r ffenestr lychlyd.

'Bythefnos ar ôl i mi 'i weld o am y tro ola, ar ddechra'r wyth degau, mi gafwyd hyd i'w gorff o yn ei gar. Roedd wedi mygu'i hun ar yr *exhaust fumes*. Achos trasig, a fynta mor ifanc a phopeth i fyw er ei fwyn.

'Ac mi ddyweda i rywbeth arall wrthat ti. Mi gododd hynna ias o ofn arna i, gwaeth o lawer na wynebu gynnau'r *Chinese* yn Corea. John Williams oedd y person olaf fasa wedi lladd ei hun. Os mai dyna wnaeth o.

'Ond wnes i erioed gredu mai dyna be ddigwyddodd. Roedd popeth yn mynd yn dda iddo fo yn ei yrfa a'i fywyd personol, a chlywais i erioed mohono'n cwyno.

'Mi ges i gymaint o ofn fel y trois y tŷ 'ma'n Fort Knox. Achos roedd arna i ofn fod pwy bynnag laddodd John Williams – a does dim amheuaeth gen i mai dyna be ddigwyddodd – am ddod ar f'ôl innau.

'Doedd neb yn fodlon fy nghredu, ac felly cadw 'mhen i lawr wnes i. Er mawr cywilydd imi bellach.'

6. Y WEDDW

Dewisodd y Casglwr afal o'r bowlen bren hynafol cyn ei anwesu dan y tap dŵr oer. Yna aeth ati i flingo'r croen oddi arni gyda chymorth cyllell fechan oedd yn llym fel rasal.

Tynnodd y gadair galed yn agos at y bwrdd o bren tywyll i fwyta'n dawel, gyda chwpan fechan o goffi cryf yn stemio ar soser tsieini wen. Torrodd yr afal yn flociau sgwâr gofalus, gan adael dim ond sgerbwd ar ôl. Gosododd y darnau'n ofalus ar blât bychan oedd yn perthyn i gasgliad o lestri a wnaed gan mlynedd ynghynt. Pigai'r darnau'n ofalus rhwng bys a bawd cyn eu llyncu. Gwrandawai ar *Adagio* i offerynnau llinynnol o waith Samuel Barber yn chwarae'n ysgafn ar yr hen chwaraewr recordiau oedd ar y silff uwchben y sosbenni disglair.

Gan fod llenni trwm wedi'u tynnu dros y ffenestri a'r golau wedi'i ddiffodd, roedd angen llygaid cath i weld yn y gegin. Ond dyna sut yr hoffai fod pan roedd angen meddwl arno. Ofnai ei fod yn mynd yn esgeulus.

Yn gyntaf, dyna'r bodiwr ifanc yn llwyddo i ddianc o'r car ynghanol y storm. Dim ond trwy wyrth y llwyddodd i reoli'r sefyllfa honno – achos tebyg iawn i un y bodiwr arall yna bedair blynedd ynghynt.

Ond nawr roedd corff rhywun lleol ganddo i'w guddio. Addawodd iddo'i hun ers blynyddoedd na fyddai'n taro ar bobl o'r ardal, gan y gwyddai y gellid ei ddal felly. Cyfaddefodd ei fod wedi colli'i ben yn lân. Fasa fo ddim wedi gwneud camgymeriad o'r fath o'r blaen. Aeth trwy ddigwyddiadau'r dydd yn ofalus i weld pa gamgymeriadau a wnaeth.

Treuliodd y bore yn glanhau ei ddillad a'r car yn ofalus, ond gan fod cymaint o fwd arno roedd y car yn dal yn fudr pan alwodd ei ymwelydd heibio.

Felly roedd ar bigau'r drain yn syth. Amheuai'n syth fod ei ymwelydd wedi gweld y car mwdlyd a'r dillad yn sychu ar y lein yn y cefn trwy ffenestr y gegin.

A wedyn dyna'r holl gwestiynau yna am ei fywyd, a phan welodd yr hen bapurau a'i lun ar ambell un, fe gafodd gymaint o fraw fel mai dim ond un ffordd oedd i ymateb.

Roedd hi'n sefyllfa ryfedd: teimlad hollol wahanol i'r arfer, gan y gwyddai na allai chwarae gyda'r corff o gwbl y tro hwn. Ond roedd yn gwybod beth i'w wneud nesaf ag e. Bron fel yr hen ddyddiau, meddyliodd, gan wenu wrth gofio am bennod beryglus arall o'i orffennol.

Cododd o'r bwrdd gan ddal i wenu. Agorodd y llenni trwm. Golchodd y llestri'n gyflym dan ddŵr poeth cyn eu sychu'n ofalus a'u gosod 'nôl yn eu llefydd priodol ar y silffoedd. Dewisodd gyllell finiog arall o'r drôr cyn eistedd wrth y bwrdd a dechrau naddu blocyn o bren sych uwchben papur newydd agored a osodwyd ar y bwrdd ganddo wrth ddisgwyl am y nos.

*   *   *

Wrth yrru o gartref y garddwr, rhuthrai meddwl Dafydd fel trên. Yn amlwg roedd marwolaeth yr heddwas wedi

61

codi ofn ar George flynyddoedd yn ôl. Cymaint o ofn, yn wir, nes ei fod wedi ceisio anghofio popeth am y straeon am bron i ugain mlynedd.

Oedd rhywbeth yma, neu ai cyfres o gyd-ddigwyddiadau oedden nhw? A dyna'r frawddeg iasol honno, 'dwi'n meddwl fod rhywun yn hela dynion yn y dyffryn 'ma'.

Cyn gadael, roedd wedi rhoi ei gerdyn i George rhag ofn iddo gofio am fwy o fanylion, ond teimlai Dafydd fod mwy na digon ganddo'n barod. Teimlai hen gyffro yn ei stumog a dechreuodd ei demtio'i hun wrth feddwl efallai mai hon oedd y stori fawr fyddai'n ei helpu i ddianc o'r twll yma. Penderfynodd y byddai'n gwneud unrhyw beth i sicrhau hynny.

Sylwodd ei bod wedi troi chwech o'r gloch, a phenderfynodd ffonio Calvin i weld sut hwyl gafodd o. Dim ateb. Gadawodd neges yn gofyn iddo gysylltu cyn gynted â phosib. Canodd ei ffôn bron ar unwaith.

'Dafydd, sut wyt ti? Dim ond atgoffa chdi fod gêm heno wedi symud i'r cae ar Beach Road, ond 'run amsar ag arfar.'

Rhegodd Dafydd.

'Be sy'n bod? Sgen ti ddim dal *hangover* ar ôl neithiwr, gobeithio, nagoes?' meddai Gwyn gan chwerthin. Fo oedd rheolwr y tîm saith-bob-ochr lleol mewn cynghrair haf. Pwynt yn unig y tu ôl i'r tîm ar y brig oedden nhw, ac roedd trip am ddim i gystadleuaeth yn Nulyn yn wobr i'r enillwyr.

'Yli, mae'n wir ddrwg gen i am hyn, ond fedra i ddim dod. Mae 'na lot o betha wedi digwydd yn y gwaith, a fedra i ddim. Mae gynnon ni ddigon o sgwad, does, Gwyn?'

'Na, ti'n gwybod fod Dylan a Huw yn methu chwara heno achos gwaith, fel pob nos Lun arall. Mae Llion, yr asgellwr chwith newydd, yn cario anaf hefyd, felly 'dan ni'n stryglo.'

'Duw, 'di'r hen *skippy* byth yn pasio, beth bynnag, nadi? Lot rhy hoff o redag fel coblyn am y fflag gornel a thrio gneud un yn ormod bob tro 'di hanas hwnna bob gêm . . .'

'Dim dyna 'di'r pwynt, naci,' torrodd Gwyn ar ei draws yn ddiamynedd.

'Na, wel, mae o'n gallu sgorio ambell gôl reit dda efo'r droed chwith, tydi . . .'

'Yli, wyt ti'n gallu dod neu ddim? 'Nest ti addo ar ddechra'r tymor y byddat ti ar gael bob gêm yn ddi-ffael, a dyna pam 'nes i dy arwyddo di ac nid Al PG. Alli di jest ddim gadal dy ffrindia i lawr fel hyn bob tro mae rhwbath yn codi ar y papur 'na.

'A ti'n gwybod y rheolau gystal â neb. Os na elli di chwara, mi ddylsat roi digon o rybudd, nid disgwyl i fi dy ffonio di hanner awr cyn y gêm.'

'Mae'n wir ddrwg gen i . . .'

'A finna hefyd – am gredu be ti'n ddeud. O leia fydd neb yn trio'r un pas *flashy* yna drwy'r adeg heno. Paid â disgwyl dy fod yn gallu jest cerddad yn ôl i fewn i'r tîm chwaith.'

A gyda hynny, rhoddodd y ffôn i lawr gan adael Dafydd yn ei regi ei hun.

*　　　*　　　*

Roedd George Thomas wedi cadw mewn cysylltiad â gweddw John Williams, Linda, oedd yn dal i fyw yn yr ardal. Trefnodd gyfarfod ar ran Dafydd y noson honno i drafod cyfres o erthyglau ar ffigurau a digwyddiadau amlwg yr ardal o'r gorffennol.

Celwydd noeth oedd hynny, wrth gwrs, ond teimlai fod hynny'n haws ac yn decach na'i chynhyrfu hi'n ormodol.

Tybed a oedd John Williams wedi baglu ar draws y trywydd iawn, a bod hynny wedi arwain at ei farwolaeth? Er fod hynny'n codi ofn ar Dafydd, teimlai ei fod ar drywydd stori go iawn, un allai ei roi ar bob tudalen flaen drwy'r wlad, heb sôn am y *Coast Weekly*.

Galwodd Chris yn y swyddfa i'w rybuddio fod posib bod y stori'n fwy nag a gredai amser cinio.

'Dwi'n meddwl mod i ar drywydd stori dda, Chris,' meddai cyn amlinellu'n fras beth oedd yn ei wneud. Wrth siarad, cofiodd nad oedd wedi trio ffonio Anna hyd yma heddiw chwaith.

'O'r gora, ond cadwa mewn cysylltiad,' oedd ateb Chris. 'Sgen ti rywbeth i'w ddangos i Harri ar dy gyfrifiadur? Ti angen rwbath i'w gadw fo'n ddistaw, sdi.'

Roedd Chris wedi dysgu Dafydd yn gynnar iawn i gadw pentwr o straeon ar ddisg wrth gefn, i'w defnyddio o dro i dro pan fyddai allan o'r swyddfa.

Credai'r Golygydd fod unrhyw un oedd allan o'r swyddfa'n diogi. Roedd unwaith wedi rhwystro gohebydd rhag mynd i gael stori a thynnu lluniau o'r aduniad o bob aelod o'r tîm o ddringwyr a goncrodd Everest yn 1953, yng ngwesty Pen y Gwryd yn 1993.

Wedi ffarwelio â Chris, edrychodd ar y ffôn, cyn penderfynu anfon neges at Anna. Poenai braidd, gan y gwyddai nad oedd arian o gwbl ganddi i fynd adref i dŷ ei rhieni yng Nghaer, ac roedd hi wedi bodio fwy nag unwaith yn y gorffennol.

*   *   *

Cyrhaeddodd gartref Linda Williams toc cyn saith. Cofiai fod George wedi ei rybuddio na wnaeth hi erioed ddod dros y sioc o golli'i gŵr.

Roedd hi'n feichiog ar y pryd ond, ynghanol popeth, collodd y plentyn a nawr, dal i fyw yn y gorffennol roedd hi. Fawr o syndod, meddyliodd Dafydd wrth gnocio'r drws.

'Helô 'na,' meddai Linda, gwraig ganol oed â sbectol hen ffasiwn o'r saith degau ar ei thrwyn. 'Dewch i fewn. Mi ffoniodd George i ddeud y basach chi'n galw draw y bora 'ma. Wnaeth o ddim egluro'n iawn be oeddach chi eisiau, ond mi gewch chi gyfle i wneud hynna, siŵr iawn. Gadwch imi fynd â'ch cot chi.'

Teimlai Dafydd braidd yn anghyfforddus gan nad oedd wedi smwddio'r crys a wisgai, tra oedd cartref Linda Williams fel pìn mewn papur. Ar y wal wrth y drws roedd llun ohoni hi a John ar ddiwrnod eu priodas, ac yntau'n gwisgo'i iwnifform.

Mi fu hi unwaith yn ferch drawiadol iawn, ond bellach roedd ei hwyneb yn edrych yn flinedig dan wallt gwyn, a gwisgai got las, fel un a wisgai glanhawr, dros ei ffrog flodeuog.

'Dewch trwodd. Mi gymerwch baned, yn gnewch? Dydi ddim yn rhy hwyr am gacen, darn o dorth frith neu rywbeth felna nac 'di?'

Gyda'i stumog wag yn rhuo, doedd Dafydd ddim am anghytuno. Roedd y cwpwrdd bwyd yn ei fflat, fel gweddill y lle, yn wag heb bresenoldeb Anna.

Unwaith y gosododd Linda Williams y cacennau a'r bisgedi o'i flaen, gyda'r tebot a'r llestri te ar fwrdd bychan, roedd Dafydd yn barod.

'Chwilio am hanesion cymeriadau amlwg y fro dros y blynyddoedd ydw i, Mrs Williams. Eich gŵr oedd y ditectif fenga trwy Brydain gyfan ar un adeg, ac mi wnaeth dipyn o enw iddo'i hun yn Llundain, yn do?

'Ond wedyn mi ddewisodd adael y Met er mwyn symud i fyw a gweithio yma. Dwi'n siŵr fod lot fawr o bobl yn dal i'w gofio.' Diflannodd cacen gyfan i'w geg cyn iddo estyn am ei baned.

Atebodd hithau gan edrych yn freuddwydiol drwy'r ffenestr.

'Yr heddlu oedd popeth iddo fo, ac mi aeth i'r Met yn bwrpasol gan ei fod yn gobeithio y gallai gael dyrchafiad yn gynt yno. Unwaith y cafodd ei benodi'n dditectif, roedd o am symud 'nôl i Ogledd Cymru gan mai yma roedd cartref ein teuluoedd. Yma roedden ni am fagu teulu.'

Syllai drwy'r ffenestr ac roedd ei llais yn bell i ffwrdd. Rhybuddiwyd Dafydd gan George ei bod hi'n gaeth i dabledi cysgu ers blynyddoedd.

'Roedd popeth i weld yn mynd mor dda, 'chi, er 'i fod o dan dipyn bach o bwysau tua'r diwedd, yn ôl ei benaethiaid. Doedd o ddim yn rhy hoff ohonyn nhw, mae'n rhaid i fi ddeud. Wrth gwrs, tydi hynna ddim yn bwysig iawn erbyn hyn.

'Ond roedd John yn arfer deud yn aml eu bod nhw'n hanner cysgu ac yn methu gweld be oedd yn digwydd dan eu trwynau.' Llyncodd gegaid o'i phaned gan ddal i edrych drwy'r ffenestr.

'Eto, roedden nhw'n ddigon caredig tuag ata i ar ôl y ddamwain. Mi fuon nhw yma dipyn yn holi wedyn, 'chi, ac fe aethon nhw â'i lyfrau nodiadau i gyd oddi yma.'

Sylwodd ar Dafydd yn syllu ac ychwanegodd hi, 'I chwilio trwyddyn nhw, wyddoch chi. Rhag ofn fod rheswm neu dystiolaeth yn un ohonyn nhw i egluro pam y digwyddodd y ddamwain 'na.'

Bellach roedd yn edrych ar lun o John yn ei wisg, yn sefyll ar stryd brysur. Llundain, mae siŵr, meddyliodd Dafydd, wrth lunio'i gwestiwn nesaf.

'Mae'n siŵr 'u bod nhw wedi mynd â phopeth swyddogol o'ma, felly? Yr heddlu, dwi'n feddwl,' ychwanegodd Dafydd. Fuasai fawr o wybodaeth gwerth ei chael ganddi hi, meddyliodd.

'Rhyfedd i chi sôn; mi gadwish i ei ddyddiaduron personol o – rown i eisiau cadw rhywbeth i mi fy hun. Ond doedd 'na fawr ddim o werth i mi ynddyn nhw.

'Roedd o'n un da iawn am gadw nodiadau am ei waith, ond nid mor dda am sgwennu am betha personol. Heblaw am y llythyrau 'na sgwennodd o pan oedd o lawr yn Hendon. Mae croeso ichi gael golwg ar y dyddiaduron. Ella, trwy darllan rheina, y bydd hi'n bosib i chi gael darlun o'i waith bob dydd o. Roedd o'n un cydwybodol iawn, 'chi.

'Mae 'na ychydig o lyfra nodiadau hefyd, ond llawn sgribls a rhyw bytia roedd o 'di meddwl sgwennu rhyw bryd ar gyfer y Steddfod oedd y rheina. 'Nes i 'u hestyn nhw i gyd neithiwr ar ôl galwad George. Mi fuo fo'n dda iawn efo fi.' Cododd bentwr o lyfrau bychan du oddi ar y soffa a'u cynnig i Dafydd. 'Mi a' i i wneud tebotaid arall o de – mae hwn wedi oeri reit sydyn, tydi?'

Tra oedd hi yn y gegin, dechreuodd Dafydd ddarllen drwy lyfr nodiadau o flwyddyn olaf John Williams. O bosib y base rhywbeth o werth yn y lleill hefyd, gan fod yr heddwas wedi gweithio ar yr achosion am ryw ddwy flynedd.

Ei siomi gafodd Dafydd o weld nad oedd dim ynddo heblaw ambell gofnod am y tywydd, dyddiadau pen-blwydd ac ati. Yna, ym mis Awst, dan nodyn am gyfarfod gyda'r *Chief Super* ym Mae Colwyn, roedd nodyn wedi'i sgriblo mewn pensel.

'Does neb yn fodlon gweld beth sy'n digwydd. Mae bywydau mewn perygl ond maen nhw'n dal i fyw fel *Dixon of Dock Green*. Record am droseddu yn Lerpwl yn 17 yn y papur lleol. Yr un enw mewn achos arall yn y Dyffryn y flwyddyn wedyn. Wedi'i arestio ond wedi'i ryddhau oherwydd diffyg tystiolaeth. Ond rhaid holi hwn eto.'

Byseddodd Dafydd drwy'r tudalennau, a dod o hyd i nodyn arall. 'Wedi'i gyfarfod. Rhywbeth od iawn yn ei gylch. Rhy ofalus efo'i eiriau. A theimlo fel tasai'n fy edmygu. Od. Dal dim digon o dystiolaeth i gyfiawnhau ei arestio a'i gyhuddo. Rhaid cael mwy o wybodaeth.'

A dyna'r cofnod olaf. Wythnos yn ddiweddarach roedd wedi'i ladd ei hun. Bodiodd Dafydd 'nôl fesul tudalen y tro yma, rhag ofn iddo fethu rhywbeth. Wythnos cyn i John farw, roedd nodyn brysiog arall.

'Cyfarfod *miss. pers.* Lerpwl a'r swyddfa archifau. 10.30. Richard Smith. Cofio trefnu diwrnod o wyliau.'

Yn amlwg doedd o ddim yn gweithio'n swyddogol ar yr achos erbyn hynny, meddyliodd Dafydd. Tybed pam? Ond beth bynnag roedd am ei drafod yn y cyfarfod ym Manceinion, credai ei fod yn ddigon pwysig i ddefnyddio diwrnod o wyliau i fynd yno.

'Unrhyw beth o ddefnydd yn y rheina i chi?' gofynnodd y weddw wrth eistedd gyferbyn ag ef gyda photaid o de ffres yn ei llaw.

'Mi faswn i'n cynnig te iawn ichi, ond heno ydi'r noson 'dan ni'n cael penderfynu lle bydd trip blynyddol y WI yn mynd eleni, 'chi. Mi hoffwn ni taen ni'n mynd yr holl ffordd i Feddgelert a Porthmadog. Ond mi fydd yn braf mynd allan i lle bynnag awn ni.'

Roedd wedi tollti paned arall iddo. Gafaelodd Dafydd yn y gwpan a gorfodi'r te poeth i lawr ei lwnc.

'Diolch yn fawr am y cynnig, ond mae'n rhaid i minna ruthro hefyd. Y bòs acw ar fy nghefn drwy'r adeg, pa bynnag amser ydi hi. Tybed fasach chi'n fodlon imi gael golwg ar y rhain yn y swyddfa? Dwi'n addo'u cadw nhw'n ddiogel ac mi ddo i â nhw 'nôl o fewn diwrnod neu ddau.'

Edrychodd Linda yn hir arno. 'Chi ydi'r cynta ers

blynyddoedd i gymryd unrhyw ddiddordeb yn John. Croeso i chi gael eu benthyg nhw, ac mi fydda i'n edrych mlaen at weld yr erthygl hefyd. Mi wna i 'i darllen wedyn i John uwch ei fedd pan gyhoeddwch hi.'

Teimlai Dafydd rywfaint o euogrwydd oherwydd ei dwyll, ond rhesymodd y byddai'n haws iddi hi petai'n dal ati fel hyn am y tro. Felly gadawodd hi ar ei phen ei hun yn paratoi ar gyfer ei chyfarfod i benderfynu lle i fynd ar y trip, pan ddylsai fod yn edrych mlaen at warchod ei hwyrion.

*   *   *

Dim ond un neges oedd ar ei ffôn, gan Elen. Penderfynodd y gallai honno ddisgwyl tan fory. Peiriant ateb Calvin gafodd o eto. Anfonodd neges arall at Anna yn gofyn iddi ddeud fod popeth yn iawn. Chafodd o ddim ateb 'nôl yn dangos ei bod wedi derbyn y tecst. Rhaid bod ei pheiriant wedi'i ddiffodd.

Pan gyrhaeddodd adref cafodd bryd *take-away* ar fwrdd y gegin, gyda'i nodiadau am y stori o'i flaen, gan geisio rhoi trefn arnyn nhw wrth wagio'r bocs gwin – unig gynnwys y ffridj wag. Rhoddodd weddillion tun bwyd drewllyd i'r gath. Roedd yn gas ganddo'r gath, ond roedd Anna wedi mynnu ei chael. Allan gafodd y gath fynd, heb rybudd, unwaith iddi fwyta.

Ddwy awr yn ddiweddarach, a'r nodiadau erbyn hyn mewn pentwr taclus a'r bocs gwin yn wag, canodd ffôn y fflat.

Doedd dim dewis ond ateb hwn gan obeithio'r gorau, wrth gychwyn agor y botel win a gafodd gan Calvin.

Hen bryd cael peiriant i ddangos pwy sy'n ffonio ar bob ffôn, meddyliodd.

'Helô, Dafydd?' Adnabu lais Nicholas Bennett, tad Anna. Fu fawr o Gymraeg rhyngddynt ers iddo adael ei swydd ar *The Times*. Gwyddai Dafydd y credai Mr Bennett ei fod yn gwastraffu bywyd ei ferch wrth ei llusgo 'nôl i Ogledd Cymru.

'Ydi Anna yna?' gofynnodd ar unwaith. 'Dwi'n methu cael ateb ar ei ffôn hi o gwbl. Dach chi'n gwybod lle mae hi?'

Ar ben popeth arall, doedd ar Dafydd ddim mymryn o awydd cael dadl a phregeth gan Mr Bennett y funud honno. Dweud clwyddau fyddai hawsaf. Rhyngddi hi a nhw wedyn pryd roedd am egluro'r sefyllfa iddyn nhw.

'Mae hi wedi mynd allan. I weld ffrindiau. Dwi ddim yn rhy siŵr pryd fydd hi 'nôl a deud y gwir. Sut dach chi a . . .'

'O, reit, dywedwch wrthi mod i wedi ffonio,' torrodd Mr Bennett ar ei draws cyn rhoi'r ffôn i lawr yn swta. Wrth i Dafydd bwyso 'nôl yn ei gadair, daeth cnoc ar y drws.

'Dwi jest ddim yn coelio hyn. Does 'na ddim llonydd i'w gael,' meddai dan rwgnach wrth gerdded i gyfeiriad y drws. Ifan Llywelyn oedd yno.

'Helô. Meddwl y baswn i'n galw draw i dy weld. Roeddet i weld reit wael bora 'ma, ac Anna wedi bod yn sâl hefyd. Dach chi ddim yn rhyw iach iawn yma!'

Agorodd Dafydd y drws gan ei wahodd â'i law i gamu dros y rhiniog. Ond eisoes roedd yn difaru agor y drws i'w ffrind gorau.

'Mae popeth yn iawn, 'sdi. Anna wedi mynd allan efo'i ffrindia gwaith eto.'

Cododd Ifan ei aeliau ar hynny.

'Tyrd fewn. Dwi newydd agor potel o win. Dim byd rhy ffansi. Croeso i ti gael gwydraid.'

'Well i fi beidio. Fasa fo ddim yn gneud argraff dda cael fy stopio gan yr hogia a finna wedi bod yn yfad.'

'Duwcs, dwi'n siŵr y basan nhw'n gadael i chdi osgoi cael y bag a chditha'n bennaeth ar y rhan fwya ohonyn nhw!'

Doedd Ifan ddim mewn tymer dda i gael tynnu'i goes am ei swydd. Ar ymbil ei wraig y cytunodd i fynd draw i dŷ ei gyfaill.

'Ti'n gwbod yn iawn nad fel'na mae petha'n gweithio, felly paid jocian am hynna chwaith. Ond mi gymera i sudd oren neu rwbath fel'na os oes gen ti beth.'

Ysgwyd ei ben wnaeth Dafydd. 'Ddrwg gen i dy siomi. Rhwng popeth dwi heb gael cyfla i siopa eto a does 'na ddim llefrith yma hyd yn oed. Wel, dim llefrith fasat ti'n hoffi'i yfad beth bynnag! Coffi du neu ddŵr yn gneud yn iawn ichdi? Neu beth am win?' Cynigiodd y botel win i Ifan.

'Anghofia fo. Paid poeni.' Sylwodd Ifan ar y bocs gwin gwag ar y llawr ger sedd Dafydd. 'Be oeddat ti'n feddwl rŵan wrth ddweud dy fod ti'n rhy brysur rhwng popeth. Ydi popeth yn iawn?'

Erbyn hyn, eisteddai Ifan gyferbyn â Dafydd yn y stafell fyw. Rhoddodd hwnnw ochenaid fawr.

'Wel, fasa waeth iti glywed gen i rŵan na'r wythnos nesa ddim. Mae'r Golygydd wedi rhoi pythefnos o rybudd fod rhaid imi gynhyrchu stori dudalen flaen gref yn un o'r rhifynna nesa, yn ogystal â chwpwl o rai cryf yng ngweddill y papur. Os na wna i, yna mi fydda i'n colli fy swydd.'

Ddywedodd Ifan 'run gair am amser hir. O'r diwedd, meddai, 'Ond sut goblyn wyt ti wedi gadael i'r sefyllfa yma godi? Chdi o bawb! Bedair blynedd yn ôl mi fasat wedi gallu cerddad fewn i unrhyw swydd gohebydd yn y wlad. Rhaid fod hynna'n dal i gyfri am rwbath. A be am dy gyfnod di ar y *Times*?'

Chwerthin wnaeth Dafydd rhwng cegaid neu ddwy o win.

'O ia. Y cyfnod hynod lewyrchus yna. Uffar o gam gwag os buodd 'na un erioed. Wnes i gythraul o ddim byd yn fan'na, a ti'n gwybod hynna'n iawn.'

Lledodd Ifan ei freichiau a'i ddwylo ar led.

'Dwi'n dal ddim yn dallt beth aeth o'i le. Na pam y doist ti 'nôl i fan hyn. Efo bob parch, cam yn ôl yn dy yrfa oedd hynny, yndê?'

'Ti ddim yn dallt. Roedd y pwysa yn Llundan yn anferthol. A dim fi oedd eisiau mynd yno o gwbl. Mi ddylsat wybod hynna'n iawn. Anna oedd eisiau mynd yno. A beth bynnag, roedd ei thad mor garedig â mynnu talu am y fflat yma i ni,' meddai'n chwerw.

'Do'n i ddim yn gwybod hynny. Rown i wastad yn methu dallt sut y gallet fforddio fflat mor grand â hon, yn enwedig o gofio cyn lleied maen nhw'n dalu acw iti o'i gymharu â'r *Times*.'

'Roedd o'n gyflog da, ond rown i'n ama weithia 'u bod nhw wedi nghyflogi i dim ond er mwyn medru

73

deud ar dop tudalen o dro i dro fod Newyddiadurwr y Flwyddyn ac enillydd y gwobra 'na'n sgwennu iddyn nhw.' Rhwbiodd ei law yn galed trwy ei wallt.

Pwyntiodd Ifan ei fys at Dafydd. 'Wyt ti erioed wedi ystyried falla mai chdi dy hun sy'n rhoi'r pwysa yna arnat ti, gan nad wyt ti'n credu hanner digon yn dy dalent dy hun? Weithia ti'n ei chael hi lot rhy hawdd i actio'r clown yn lle plygu i'r drefn a gneud y gwaith ti'n gallu'i neud.

'Mae gen ti fwy yn dy ben ac yn dy galon na fuodd gen i erioed. 'Nath y stori Kincorra 'na ddangos hynna'n eglur, yn do? Sna'm lot o bobol all newid llywodraeth gwlad, nag oes?' Cododd Ifan ar ei draed. 'Iesgob bach! Does 'na ddim llawer o ohebwyr yn gallu deud eu bod nhw wedi torri stori gafodd gymaint o effaith â stori Watergate. Ti wedi gadael i betha lithro allan o reolaeth ers dipyn.' Oedodd am eiliad.

'A beth bynnag ydi'r stori rhyngddot ti ac Anna, dwi ddim yn meddwl eich bod yn siwtio'ch gilydd o gwbl. Dyna marn i. Falla fod hynna'n brifo, ond mae'n hen bryd i rywun ei ddweud o.'

Roedd Dafydd yn hanner cytuno â phopeth ddywedodd ei ffrind ond, ar ben popeth arall y diwrnod hwnnw, roedd y gwir yn brifo. Chwiliodd am rywbeth i'w edliw i Ifan.

'Mi wnest ti'n ddigon da dy hun allan o'r stori Kincorra 'na, yn do? Y plismon fenga drwy'r wlad i gael dyrchafiad yn Uwch-Inspector? A medal fach loyw i fynd efo hynny hefyd.'

Roedd ei lais yn chwerw a chiciai'r bwrdd coffi isel yn galed.

'Ac Anna? Ia, wel, fydd dim rhaid i neb boeni am hynna rhagor, beth bynnag. Mae hi wedi ngadael i, dwi'n meddwl. Welwn ni mohoni hi eto. Ac mae'n debyg na fydda i yma'n rhy hir chwaith, i fod yn fwrn ar bawb,' meddai gan adael i rywfaint o hunandosturi meddw lithro i mewn i'w lais.

'Nid dyna o'n i'n feddwl, a ti'n gwybod hynna'n iawn. Ddrwg gen i glywad am Anna. Ond pam na fasat ti wedi deud wrtha i'n iawn? Roeddat ti'n 'u rhaffu nhw bora 'ma – a ddoe hefyd, felly – wrth ddeud ei bod hi'n sâl. Dwi 'rioed wedi dy ddallt di fel'na.

'Ti wastad yn meddwl ei bod hi'n well deud celwydd yn hytrach na'r gwir os wyt ti'n meddwl y bydd hi'n haws i chdi, yn dwyt? Rhaid i chdi roi'r gora i fod mor hunanol, 'sdi, neu fydd neb yn credu gair ti'n ddeud. Pam na wnei di ond deud y gwir ambell waith?'

Roedd llais Ifan yn mynd yn fwy blin ac yn dangos yn glir ei fod yn colli amynedd gyda'i gyfaill.

'Dyna fuo dy wendid di erioed. Ti'n chwilio am y ffordd hawsaf, unrhyw *short cut* y gelli feddwl amdano. Mae'r un athroniaeth gen ti yn dy fywyd personol hefyd. Pam na elli di weithio'n galed a theg fel pawb arall? Gneud dy shifft yn deg heb chwilio am yr un ateb *flashy* yna bob tro.'

'Achos dwi ddim fel pawb arall, nac dw? Dwi ddim eisiau gwneud y *grind* diflas yna. Mae popeth mor hawdd i chdi, yn tydi? Popeth mor ddu a gwyn.'

Chwarddodd Dafydd yn sydyn ar ben ei jôc ei hun.

'Mae'n mynd yn hwyr. Mae'n siŵr y basa'n well gen

ti fod adra efo dy deulu. Ti'n lwcus iawn 'sdi, efo popeth sydd gen ti.'

Aeth Ifan at y drws a'i gau'n ddistaw ar ei ôl gan ysgwyd ei ben. Arhosodd Dafydd yn ei sedd yn yfed gweddill y gwin a breuddwydio'n feddw-effro am y stori fawr oedd am ei achub.

Yno ar y soffa y syrthiodd i gysgu o'r diwedd. Tywalltodd hanner gwydraid olaf y botel win dros ei grys. Sylwodd o ddim ar hynny'r bore canlynol. Roedd pethau llawer pwysicach ar ei feddwl.

7. Y GOHEBYDD

Chwarter awr o daith – gan yrru fel gwallgofddyn – oedd hi fel arfer o fflat Dafydd ym Mangor i'r swyddfa. Roedd yno mewn llai na deuddeg munud y bore hwn. Roedd yr alwad gan Chris a'i deffrôdd yn ddigon o sbardun.

'Dafydd. Mae'n ddrwg gen i dy godi mor gynnar, ond mae'n well iti ddod yma ar dy union. Mac 'na rywbeth wedi digwydd i Calvin. Ond mi fasa'n well gen i gael gair efo chdi yn y swyddfa. Tyrd i fewn ar unwaith os medri di. Mi wna i egluro popeth ar ôl i ti gyrraedd.'

Ddywedodd Chris yr un gair arall, dim ond rhoi'r ffôn i lawr.

Roedd Dafydd wedi cysgu yn ei ddillad ar y soffa drwy'r nos ond doedd dim amser nawr i newid, felly rhuthrodd yn syth i'w gar ar ôl stwffio banana rhwng dau ddarn o fara sych a chipio tei glân o'r cwpwrdd.

Wrth barcio o dan y bont, sylwodd fod car heddlu gcr y brif fynedfa a Charlie'n brysur yn siarad gyda merch o'r adran farchnata. Edrychai honno fel petai'n crio. Roedd Elen yno hefyd yn sefyll a'i chefn tuag ato.

Brysiodd yn ei flaen i'r swyddfa gan gau cwlwm y tei wrth gerdded. Rhwbiodd ei wddf, oedd yn stiff ar ôl iddo gysgu'n gam ar y soffa. Teimlai fel petai'n dioddef o ffliw cas, a phob gewyn a chyhyr yn stiff a phoenus.

Yn y swyddfa, gwelai fod Harri yn ei stafell a rhywun yno gydag ef. Aeth yn syth at ddesg Chris.

Cododd hwnnw ar ei draed. Roedd y golau llachar yn brifo'i lygaid.

'Does 'na'r un ffordd hawdd o ddweud hyn. Mae'n ddrwg gen i orfod dweud, ond mae Calvin wedi marw.'

Ni allai Dafydd gredu'r un gair roedd yn ei glywed. Teimlai fel petai mewn breuddwyd ond roedd cwlwm oer yn troi yn ei stumog a chefn ei wddf yn chwys oer ar amrantiad. Calvin wedi marw? Amhosibl, meddyliodd; rhaid mai camgymeriad oedd y cyfan.

'Mae'n edrach fel tasa fo wedi lladd ei hun. Neithiwr, maen nhw'n meddwl. Ond does neb yn siŵr o ddim byd hyd yma.'

Estynnodd Chris ei law yn chwithig a'i rhoi ar fraich Dafydd cyn eistedd yn ôl a syllu'n ddall ar ei ddesg.

Lladd ei hun? Byth! Pam fasa fo'n gwneud y fath beth? Gwibiai meddwl Dafydd fel iâr fach yr haf o un syniad i'r llall.

'Mae'r heddlu efo Harri rŵan yn ei holi fo am Calvin. Mae'n siŵr y byddan nhw angen gair efo ni hefyd.'

O weld wyneb gwelw Dafydd yn rhythu arno, ychwanegodd, 'Mi ddaethon nhw o hyd i'w gorff y bore 'ma. Fuodd o ddim adra neithiwr ac roedd ei gariad wedi ffonio'r heddlu. Roedd ei gar wedi'i barcio mewn cae yn y dyffryn. Does gen i ddim mwy o fanylion na hynny, ond mae'r heddlu i weld yn eitha bodlon mai wedi lladd ei hun y mae o.'

Cerddodd Dafydd rownd y ddesg gan ysgwyd ei ben a rhedeg ei law trwy ei wallt. Teimlai'n wag, ond allai o ddim mynegi'i deimladau'n gyhoeddus.

'Lladd ei hun? Ond pam? Roedd o'n hapus fel y gog

ddoe, wedi bod ar ei wyliau, yn mwynhau ei waith. Fedra i ddim coelio'r peth. Fo oedd yr unig un oedd yn mwynhau ei waith yma ac mi roedd ei fywyd personol yn un y newidiwn i efo fo unrhyw ddydd, heb feddwl ddwywaith.'

Agorwyd drws stafell Harri a daeth dau heddwas i'r golwg yn cario'u hetiau ac yn cael eu hebrwng gan y Golygydd.

'Ie, achos trist dros ben, cwnstabl. Mi rydan ni i gyd yma mewn sioc ac yn cydymdeimlo'n fawr efo'r teulu,' meddai Harri wrth eu hebrwng draw a'u cyflwyno.

Roedd Dafydd wedi cwrdd ag un o'r plismyn o'r blaen.

'Diolch yn fawr i chi am ddod draw bore 'ma mor gynnar i rannu'r newyddion efo ni. Mae'n ddrwg gen i na allwn ni fod yn fwy o help. Dyma weddill y staff. Dyma'r cwnstabl Williams sy'n gwneud ymholiadau i farwolaeth Calvin.'

'Ddrwg gynnon ni am hyn, a dwi ddim am wneud hyn yn anoddach nag sy raid,' meddai. 'Ond os cawn ni ofyn cwpwl o gwestiynau, dyna hi wedyn, a gallwn ni adael i chi fynd mlaen â'ch gwaith.'

Aeth yn ei flaen heb oedi, wedi hen arfer â hyn.

'Oedd Mr Calvin Jac wedi ymddwyn yn od yn ddiweddar, neu wedi dweud ei fod yn teimlo'n isel neu sôn am rhyw broblemau penodol, un ai yn y gwaith neu yn ei fywyd personol?' holodd. 'Mi fydd unrhyw wybodaeth yn gwbl gyfrinachol, dwi'n addo. Dim ond gwneud ymholiadau rydan ni pam fod dyn ifanc, iach, llwyddiannus wedi penderfynu gwneud yr hyn wnaeth o.'

'Ymddwyn yn od yn y gwaith?' meddai Dafydd, a thôn watwarus yn ei lais. 'Dim ond os dach chi'n cyfri mwynhau ei waith yn fwy na neb arall yn y lle 'ma, a fynta newydd fod ar wyliau efo'i gariad. Be ddigwyddodd felly . . .'

Torrodd Harri ar ei draws a'i lais yn llawn rhybudd, 'David! Dyna ddigon! Mae hwn yn amser anodd i bawb. 'Dan ni ddim eisiau gwneud sefyllfa anodd yn waeth, nac ydan?'

Roedd ei aeliau wedi codi'n rhybuddiol. Trodd at yr heddwas wrth i Harri ddal ati.

'Roeddan nhw'n ffrindia agos iawn, wyddoch chi, fel pawb yn y lle 'ma. Mae'n anodd derbyn peth fel hyn. Ond mae'n edrach yn achos digon syml, yn tydi? Dim amgylchiada amheus o gwbl, meddach chi, nagoedd?'

Sylwodd Dafydd fod Elen wedi ymuno â nhw. Roedd ôl crio ar ei hwyneb. Gwisgodd y ddau heddwas eu hetiau ar eu pennau.

'Os bydd un ohonoch chi'n cofio am rywbeth all fod yn berthnasol, mi faswn yn ddiolchgar iawn petaech yn cysylltu efo ni. Mae'n ddrwg iawn gynnon ni am eich ffrind,' meddai'r Cwnstabl Williams, wrth iddyn nhw droi a mynd am y drws, dim ond yn rhy falch o adael y lle, yn amlwg.

Daeth Harri 'nôl a cherdded at ei ddesg gan amneidio ar Dafydd i'w ddilyn.

'Tydi hyn ddim yn hawdd i'r un ohonan ni, ond 'di o ddim yn helpu neb pan mae rhywun yn ymateb fel'na o flaen yr heddlu.

'Falla nad ydi o'n hawdd i'w dderbyn, ond mae'n

berffaith amlwg beth sydd wedi digwydd yn yr achos yma. Pwy a ŵyr pa bwysau neu broblemau sy gan rhywun yn ei fywyd personol? Does neb yn adnabod neb arall yn ddigon da i ddweud pethau fel'na wrth yr heddlu, a gwneud sefyllfa anodd yn anoddach fyth.'

Trodd fel ei fod yn cyfeirio'i sylwadau nesaf at bawb.

'Rŵan, dwi'n meddwl y basa'n gwneud lles i ni i gyd beidio trafod hyn ddim mwy yn y gwaith heddiw. Mae'n mynd i fod yn ddigon anodd symud mlacn, ond dyna sy raid. Dwi'n siŵr mai dyna be fasai Calvin am i ni wneud.'

Gostyngodd ei lais fymryn fel na allai neb ond Dafydd ei glywed.

'Gyda llaw, tydi hyn yn newid dim byd ar be ddywedais i ddoe. Dim byd o gwbl. Dwi'n dal i ddisgwyl straeon da i arwain rhai o'r tudalenna, a stori i arwain ar y dudalen flaen hefyd. Wythnos yma, ncu wythnos nesa fan bella. Neu bydd raid inni roi terfyn ar dy gytundeb di.

'A hcfyd dwi am i chdi sgrifennu'r straeon yna roedd Calvin yn gweithio arnyn nhw ddoe. Doedd dim byd rhy anodd yn y rheina, yn ôl be dwi'n gofio. Mi gaiff Elen dy helpu. Cyn diwedd y dydd heddiw i'r rheina – iawn?

'Mi fydd popeth yn mynd mlaen fel arfer fan hyn, bawb,' meddai gan daflu golwg awgrymog ar Chris ac Elen hefyd. 'Cofiwch hynna. Mae arnon ni ddyletswydd i'n darllenwyr – ac er cof am Calvin, wrth gwrs.'

Aeth Dafydd at ei ddesg a sgrifennu rhestr o'r straeon

yr oedd yn rhaid iddo'u cwblhau y diwrnod hwnnw. Hanner disgwyliai i Calvin bigo'i ben drwy'r drws unrhyw eiliad dan chwerthin. Teimlodd ddagrau poeth yn codi'n ei lygaid. Roedd y nesaf peth i feichio wylo'n gyhoeddus. Synhwyrodd fod Elen yn sefyll y tu ôl iddo.

'Mae'n wir ddrwg gen i. Dwi'n gwybod dy fod ti a fo yn dipyn o ffrindiau. Roedd o'n siarad amdanat ti drwy'r adeg, wst ti, a bob tro'n deud gymaint roedd o'n edmygu dy waith,' meddai hi.

'Fedra i ddim dallt hyn o gwbl, achos roedd o mor hapus ddoe. Rown i bob amser yn meddwl nad oedd gynno fo boen yn y byd.'

Daeth Chris at y ddau, yn amlwg yn awyddus i helpu, gan edrych ar y rhestr roedd Dafydd wrthi'n ei sgwennu.

'Yli, tydi Harri ddim yn meddwl fod fawr ddim yn hyn. Ond 'dan ni i gyd yn gwybod nad ydi o'n normal. Mae o am i bopeth fynd ymlaen fel arfer, fel tasan ni mewn rhyw gân actol neu rywbeth, a rhywun yn sâl.

'Canolbwyntia ar dy waith am heddiw. A chditha Elen. Dwi'n casáu rhoi pwysa arnat ti fel hyn, ond ti'n gwybod cystal â fi na wnaiff o newid ei feddwl am y *deadline* 'ma sy gen ti, Dafydd. A dwi'n gwybod na elli di fforddio colli dy swydd chwaith.

'Meddylia pa mor felys fydd hi pan alli di godi dau fys arno fo wrth gerdded o'ma i swydd arall, well. A dyna wnaiff ddigwydd os alli ddod drwy'r wythnos yma.' Sylwodd nad oedd Dafydd yn edrych arno a synhwyrodd Chris ei fod yn ymladd i gadw'i deimladau dan reolaeth.

'Be sy gen ti fan hyn? Mae stwff Calvin o ddoe yn reit syml, yn tydi Elen?'

Nodiodd hithau a chodi llyfr nodiadau. 'Popeth heblaw'r stori 'na aeth Calvin i'w gwneud i'r adran farchnata yn y pnawn. Dwi ddim yn siŵr be ddigwyddodd yno.'

Trodd Chris yn ei ôl at Dafydd.

'A beth am y stori rheilffordd 'na? Pam nad ei di ar ôl gyrrwr y trên a cheisio cael ei stori o? Dwi'n siŵr mai dyna'r ongl gryfaf o'r stori honno, a basa llun ohono fo a'i wraig yn berffaith hefyd.'

Teimlodd Dafydd boen fel gwayw yn ei ben a'i ysgwyddau. Roedden nhw'n cyffio'n waeth bob munud. Teimlai fel petai procer poeth yn cael ei wthio i'w wddf.

'Chris, pa fath o deyrnged mae'r papur am ei rhoi i Calvin? Sgen ti syniad eto? Mi alla i sgwennu rhywbeth os wyt ti'n brysur.'

'Rown i'n gobeithio na faset ti'n gofyn am hynna. Mae Harri 'di deud yn barod ei fod am neud cyn lleied o ffws â phosib. Sydd yn well na'i syniad cyntaf o droi'r holl beth yn stori drasig fawr.

'Ond na. Pwt bychan wedi'i guddio ynghanol y papur yn deud sut y cafwyd hyd iddo a bod yr heddlu'n credu'n gryf mai wedi lladd ei hun y mae o.'

Ysgwyd ei ben wnaeth Dafydd. Doedd o'n disgwyl dim byd arall gan Harri.

'Ond os daw rhyw dystiolaeth i'r golwg cyn i'r papur fynd i'r wasg bnawn Gwener mi allen ni newid hynna?' gofynnodd.

'Gallen. Ond paid â chodi dy obeithion yn ormodol chwaith,' meddai Chris. 'Canolbwyntia ar dy waith dy hun yn gynta. Mae 'na ddigon ar dy blât di rhwng popeth, yn does?'

Gwenodd Dafydd yn wan, ac aeth Chris 'nôl am ei ddesg. Cytunai â rhesymeg Chris, ond yn gyntaf roedd rhaid cwrdd â rhywun arall. Anfonodd neges tecst i rif personol Ifan i ofyn am gyfarfod brys ac am ffafr fawr ganddo. Rhaid fod Ifan wedi clywed y newyddion gan iddo gytuno ar unwaith.

'Dwed wrth Harri mod i'n mynd allan i orffen stori'r corff 'na ar y rheilffordd a'i bod o leiaf yn werth ei rhoi ar dudalen tri.

'Elen, os alli di aros yma i ddechra teipio'r ddwy stori yna o bore ddoe, basa hynna'n help mawr.'

Nodiodd Chris, gan edrych yn bryderus, a ddywedodd Elen 'run gair wrth i Dafydd adael y swyddfa.

Ond erbyn i Dafydd gyrraedd ei gar, roedd Elen wedi ei ddilyn; safai yno'n herfeiddiol, gan blethu'i breichiau o flaen y bonet a'i rwystro rhag gyrru i ffwrdd.

'Ti'n mynd i wrando arna i am funud rŵan. Dwi ddim yn gwybod be sy'n bod arna chdi yr wythnos yma na pam dy fod ti mor flin efo fi. Ond dim ots am hynna ar ôl yr hyn sy wedi digwydd.

'Mae Chris yn ama dy fod am fynd i chwilio beth roedd Calvin yn neud pnawn ddoe. Ac mi ddylswn i ddod efo chdi.

'Fi oedd efo fo drwy'r bore, a ddywedodd o ddim i awgrymu nad oedd o'n hapus. Dim ond fi sy'n gwybod

84

a wnaeth o gyfeirio at beth bynnag oedd ganddo ar y gweill pnawn ddoe.

'A dwi'n deud wrthach di rŵan nad ydw i am eistedd fan hyn yn cicio'n sodla. A chofia, dim ond y tri ohonon ni oedd yna pan drafodon ni'r hen straeon yn y ffeil lychlyd yna.'

Oedodd cyn gweld nad oedd hi eto wedi llwyddo i berswadio Dafydd.

'Dwi'n teimlo 'run mor euog â chdi. A phwy a ŵyr – os oes raid i mi aros yn y swyddfa, falla bydd raid i mi ofyn cyngor Harri am y ffeil 'na ddoe.'

Teimlai Dafydd yn flin ar y dechrau, ond buan y sylweddolodd bod geiriau Elen yn gwneud synnwyr. Datrys y dirgelwch am farwolaeth Calvin oedd y peth pwysicaf. Agorodd y drws i Elen gael dod i mewn i'r car.

8. Y PLISMON

Ystafell hir a chul mewn rhyw gaffi gwag oedd y man lle trefnodd Dafydd i gwrdd ag Ifan. Roedd y darluniau o'r dref a'r castell a addurnai'r waliau wedi melynu gan flynyddoedd o fwg sigarét a diogi'r staff. Câi'r lluniau ychydig bach mwy o barch bellach gan fod arwydd 'dim ysmygu' ar dri o'r deg bwrdd pren.

Eisteddai Ifan wrth un o'r rhai oedd bellaf oddi wrth y ffenestr yn darllen papur, ei fys yn taro ochr y bwrdd yn rheolaidd ysgafn. Ar y bwrdd roedd tusw o flodau plastig wedi hen wywo mewn cwpan, a'r bowlen siwgr yn llawn o lympiau melyn. Ysmygai'r staff wrth sgwrsio'n uchel ym mhen arall yr ystafell.

Arhosodd Elen i Dafydd dalu am y ddwy baned cyn cerdded at y bwrdd. Rhoddodd Ifan y papur o'r neilltu wrth eu clywed yn nesáu.

'Dafydd. Ddrwg gen i glywed am dy gyd-weithiwr di, 'chan.' Edrychodd Ifan ar wyneb ei gyfaill. Fu Ifan erioed yn un am fân siarad o'r diwrnod cyntaf iddynt gwrdd yn yr ysgol gynradd.

'Diolch. Dyma Elen Davies. Mae hi'n gweithio ar y papur efo fi. Roedd hi'n gweithio efo Calvin tan yn gynnar pnawn ddoe ac yn gwybod be dwi eisiau 'i drafod efo chdi. Mi fydd hi'n gweithio ar y stori yma hefyd. Elen, dyma'r Prif Arolygydd Ifan Llewelyn.'

Eisteddodd Dafydd gyferbyn ag ef gan osod mŵg o goffi du o'i flaen a phaned o de o flaen Elen.

'*Chief Inspector* Llewelyn, os ydi hynna'n well gynnoch chi.' meddai ef wrth Elen wrth iddi ysgwyd llaw ag Ifan.

Synhwyrai hithau'r tensiwn rhwng y ddau ddyn. Roeddent braidd yn rhy ffurfiol gyda'i gilydd o gofio eu bod i fod yn gymaint o ffrindiau.

'Paid â phoeni. Os wyt ti'n ffrind i'r hen Ddafydd 'ma, yna rwyt ti'n ffrind i fi,' meddai Ifan yn ysgafn. Teimlai yntau'r tensiwn ers y noson cynt.

'Mae'n siŵr fod hyn yn sioc fawr i'r ddau ohonoch chi. A plîs galwa fi'n Ifan. Mae'n ddigon o beth fod y plant acw wedi dechra tynnu nghoes i wrth fy ngalw'n "syr". Ond fy mai i oedd hynna, gan i mi ymateb y tro cynta. Maen nhw'n gwybod yn iawn sut i fy weindio i bellach! Stedda.'

Trodd 'nôl at Dafydd. 'Iesu! Ydi petha wedi mynd mor galad arna ti fel nad wyt ti'n gallu fforddio prynu dillad? Roeddet ti'n gwisgo rheina ddoe.'

Dim ond Ifan, ac yntau bob amser fel pìn mewn papur, fasa'n sylwi ar hynna. Brathodd ei dafod rhag dweud mwy. Poenai iddo fynd yn rhy bell y noson cynt.

'Rown i ar frys bora 'ma,' meddai Dafydd, gan geisio cuddio'r cryndod yn ei law wrth iddo godi'r baned, trwy bwyso'i benelin ar y bwrdd a dal y mŵg yn erbyn ei ddannedd. Roedd yn ymwybodol nad oedd wedi eillio y bore hwnnw chwaith.

'Ia. Ddrwg gen i am dy ffrind,' meddai Ifan, gan gicio'i hun wrth ailadrodd ei gydymdeimlad. 'Roedd o i weld yn ohebydd – ac yn berson – hoffus dros ben.

Ddrwg gen i orfod gofyn hyn, ond ai dyna pam wyt ti eisiau cyfarfod?'

Amneidiodd Dafydd.

'Felly rown i'n ama. Reit, dyma'r ffeithia fel dwi'n eu gwybod nhw hyd yma.' Siaradai, bron heb sylwi, yn y llais ffurfiol a ddefnyddiai mewn llys barn.

'Derbyniwyd galwad gan ei gariad neithiwr i'r swyddfa ym Mae Colwyn, gan ei bod hi'n poeni nad oedd wedi cyraedd adref. Y tro cyntaf erioed iddo wneud hynna heb ei rhybuddio, mae'n debyg. A doedd o heb ei ffonio chwaith ers diwedd y pnawn. Od iawn eto, medda hi.

'Cymerwyd disgrifiad ohono, wrth gwrs, ond i fod yn onest, chafodd dim byd ei wneud. Fel y gallwch chi ddychmygu, rydan ni'n derbyn adroddiadau fel hyn drwy'r adeg. Ffliwc oedd hi iddo gael ei ganfod mor fuan, a deud y gwir.

'Gwelodd postmon gar wedi'i barcio oddi ar un o'r hen lonydd bach 'na sy'n mynd o Eglwys-bach i Hen Golwyn. Roedd pibell yn cario mwg yr injan i mewn drwy'r ffenestr. Doedd dim arwydd fod neb arall wedi helpu, a dim byd i wneud i ni feddwl fod a wnelo hyn ag unrhyw un arall.'

Ochneidio'n ddwfn wnaeth Dafydd ac ysgwyd ei ben. Rhestrodd yn fras eto wrth Ifan pam fod popeth ym mywyd Calvin i weld yn mynd mor dda.

'Doedd o byth yn cwyno,' ychwanegodd Elen, gan fachu ar y cyfle cyntaf i ymuno yn y sgwrs. 'Wnaeth o erioed gwyno, i fi glywed, yn yr amser dwi wedi bod efo'r papur. A chlywis i am ddim arall ddoe heblaw

88

cymaint roedd wedi mwynhau ei wyliau a pam ei fod o'n edrach mlaen gymaint at y nesaf yn Kephalonia ymhen mis.'

'Roedd o'n gwybod yn iawn y gallai adael y lle 'ma am swydd arall fory nesa,' meddai Dafydd. 'Ac mi fetia i nghar nad oedd o 'run geiniog mewn dyled chwaith. Welis i neb mor ofalus efo'i bres erioed.'

Ddywedodd Ifan yr un gair, dim ond edrych ar y ddau yn siarad o'i flaen. Troiai ei lwy yn araf yn ei baned er fod y gwpan bron yn wag.

'Os derbyniwn ni bopeth dach chi'n ddeud, yna mae'n annhebygol ei fod wedi lladd ei hun. Rydach chi'n swnio'n reit bendant nad damwain oedd hi.

'Cofiwch chi, dynion yn eu hugeiniau cynnar sy fwyaf tebygol o wneud hyn, a nhw sy'n lladd eu hunain fel arfer. Yn enwedig mewn ardaloedd gwledig,' meddai Ifan yn ofalus.

'Felly, yr unig bosibilrwydd wedyn ydi fod rhywun wedi'i ladd o. Oedd 'na rywun yn dal cymaint o ddig ato fo fel y basen nhw'n mynd i'r drafferth o'i ladd a cheisio gwneud i hynna edrych fel damwain?' Lledodd Ifan ei ddwylo gan ofyn cwestiwn amlwg.

'Does gen i ddim syniad,' atebodd Dafydd. 'Doedd o ddim yn gweithio ar unrhyw stori o bwys cyn belled ag y gwyddwn i, heblaw am y gymysgedd arferol o straeon hysbysebion a ballu.

'Echdoe y daeth o 'nôl o bythefnos o wylia tramor, felly ddoe oedd ei ddiwrnod cyntaf yn y swyddfa ers tipyn.' Caeodd Dafydd ei geg yn sydyn a phwyso'n ôl i edrych ar y to. 'Oni bai, wrth gwrs, fod a wnelo hyn rywbeth â'r stori wnes i ei rhoi iddo bnawn ddoe. Ond basa hynny . . .'

Torrodd Ifan ar ei draws yn sydyn. 'Pa stori ydi honno, felly?' gofynnodd, gan grychu'i aeliau.

Yn fras, disgrifiodd Dafydd stori iasol y ffermwr John Evans, y pentwr ffeils llychlyd oedd bron yn angof yn y swyddfa, a'r hyn a ddywedodd George Thomas am y ddigwyddiadau genhedlaeth ynghynt.

Tro Ifan oedd hi i edrych yn wyliadwrus nawr cyn dechrau siarad.

'Faswn i ddim yn sôn am hyn wrth neb arall ond chdi. A chditha, gan ei bod hi'n amlwg fod Dafydd yn ymddiried ynot ti,' ychwanegodd gan gyfeirio at Elen.

'A beth bynnag ydi'ch teimlada chi ar ôl colli cydweithiwr fel hyn,' meddai Ifan, 'mae'n rhaid ichi addo nad ydach chi'n cysylltu'r ddau ddigwyddiad am y tro mewn unrhyw stori nac efo neb y tu allan i'r caffi 'ma.'

Gwelodd fod sylw'r ddau wedi'i hoelio arno.

'Ond mae gynnoch chi wybodaeth newydd sydd o ddiddordeb mawr i mi ac i ymchwiliad dwi wedi bod yn gweithio arni ers tipyn.

'Dwi'n cytuno nad oes rheswm, ar yr olwg gyntaf, i Calvin ladd ei hun. Mi ddo i at hynna yn y munud.

'Ond yn gyntaf, yr hen straeon 'ma rwyt ti wedi dod o hyd iddyn nhw, Dafydd. Dwi wedi bod yn edrych ar y rheina ers peth amser. Dyna pam rown i draw ger y rheilffordd ddoe. Ddrwg gen i am ddeud celwydd wrthat ti.

'Dwi'n tueddu i gytuno ei bod hi'n ormod o gyd-ddigwyddiad fod y bodiwr wedi'i ganfod yn yr union gae lle yr ymosodwyd ar y teithiwr arall 'na bedair blynedd ynghynt. Dwi ddim yn credu mewn cyd-ddigwyddiadau.

'Mae'n swnio'n debyg bod gen ti dipyn o wybodaeth yn barod. Os wyt ti'n fodlon ei rhannu, yna dwi'n fodlon dweud wrthat ti be dwi'n wybod. Ond mae'n rhaid i chi addo peidio printio dim heb ddweud wrtha i'n gynta.'

Wnaeth yr un o'r ddau anghytuno er na ddywedson nhw air wrth bwyso mlaen ar y bwrdd.

'Mae 'na rywbeth od iawn wedi bod yn digwydd, ac yn dal i ddigwydd yn fy marn i, yn yr ardal hon,' meddai Ifan yn bwyllog.

'Mi wnes i gychwyn fy ymchwiliad i'r straeon yma ar ôl bod mewn cynhadledd rhwng gwahanol luoedd heddlu y llynedd. Yno, mi welis i ffigura sy'n dangos faint o bobl sy'n diflannu yn y wlad 'ma bob blwyddyn – mae'n anghredadwy. Ond nid dyna oedd prif nod y gynhadledd.

'Cyn i fi fynd dim pellach, mae'r rhan fwyaf o'r hyn dwi am 'i ddeud wrthoch chi rŵan yn wybodaeth gyffredinol, ar gael i'r cyhoedd. Ond falla na fasa'n syniad da rhannu dim byd â'ch ffrindiau ar unwaith, chwaith.'

Torrodd sŵn ffôn symudol ar ei draws a gwridodd Elen wrth dynnu ffôn bychan arian, fawr mwy na phecyn sigaréts, o'i phoced a'i ddiffodd.

'Yn 1996, daeth heddluoedd Lloegr at ei gilydd i gychwyn yr hyn sy'n cael ei alw'n *Operation Enigma*, i edrych ar lofruddiaethau nad ydyn nhw wedi cael eu datrys. Canlyniad yr ymchwiliad ydi'r casgliad fod o leiaf pedwar llofrudd wrthi yn Lloegr yn gwireddu pa freuddwydion afiach bynnag sy ganddyn nhw.

'Ond cofiwch mai amcangyfrif ceidwadol iawn ydi hwn. 'Dan ni'n amcangyfrif bod 'na o leiaf pedwar, os nad cymaint â chwech llofrudd – yr hyn dach chi yn y wasg yn rhy hoff o'i alw'n *serial killer* – yn rhydd yn Lloegr ar hyn o bryd.

'Ia, hyd at chwech,' meddai Ifan eto wrth weld amrannau Dafydd ac Elen yn codi mewn syndod. Doedd dim angen iddo bwysleisio'r gair.

'Mae'r casgliad yna wedi'i seilio ar ymchwil fanwl iawn gan yr FBI, sy'n arwain y byd yn y maes yma ers blynyddoedd. A rhan o'r ymchwiliad ydi edrach yn ofalus ar faint o bobl sy'n diflannu bob blwyddyn a sawl llofruddiaeth sydd heb eu datrys o fis i fis.'

Roedd Elen yn sgwennu'n brysur yn ei llyfr ac yna, heb godi'i phen o'i llaw-fer daclus, gofynnodd gwestiwn.

'Rydach chi'n deud Lloegr yn unig. Pam hynny? Beth am weddill gwledydd Prydain? Mae'n rhaid fod ymchwil neu astudiaethau tebyg yn sôn am y gwledydd Celtaidd.'

Cododd Ifan ei law cyn bwrw mlaen â'i stori.

'Dwi wedi bod yn gweithio'n agos gyda'r Uned Droseddu Genedlaethol yn Bramshill, Hampshire, sydd yng ngofal yr ymchwiliad yma.' Oedodd am eiliad. Roedd eu sylw wedi'i hoelio arno.

'Ond beth am weddill Prydain? Cwestiwn digon teg. Mae amheuaeth gref fod llofrudd yn Glasgow, sy wedi bod yn gyfrifol am ladd o leiaf saith o ferched. Yn

Nulyn mae'r *FBI* wedi bod yn helpu'r *Gardai* i geisio dal llofrudd sydd hefyd wedi lladd saith o bobl.

'Ac yma yng Nghymru? Hyd yn hyn allwn ni ddim bod mor siŵr eto. Ond mae'r nifer sydd wedi diflannu – wrth deithio i Iwerddon trwy Ogledd Cymru, mae'n debyg – yn rhyfeddol o uchel. Alla i ddim deud faint yn union eto, gan fod rhai pobl, wrth reswm, yn diflannu am resymau personol.'

Llamodd darlun o Anna i feddwl Dafydd am eiliad. Bellach roedd yn eistedd 'nôl yn ei sedd a'i baned goffi heb ei chyffwrdd, er gwaethaf ei syched.

'Wyt ti'n meddwl fod 'na gysylltiad efo'r hen achosion sy wedi bod yn digwydd yn yr ardal?'

'Fel dwedais i, dwi ddim yn coelio mewn cyd-ddigwyddiada bellach. Dwi'n siŵr o hynna. Ond tydi'n hymchwiliada ni heb fynd yn bell iawn eto.'

'Sut all pobl lwyddo i aros yn rhydd cyhyd heb eu dal os ydyn nhw'n lladd fel hyn? Mae'n rhaid fod rhyw fath o olion i'w gweld, neu lygad-dystion i rai o'r llofruddiaethau?' gofynnodd Elen.

'Tydi'r rhan fwyaf o'r lladdwyr yma ddim yn ddwl o bell ffordd, ac mae ambell arbenigwr yn honni mai pobl mwy peniog na'r cyffredin sy'n gyfrifol. Dwi ddim yn siŵr am hynna, ond yr hyn sydd *yn* amlwg ydi'r ffaith eu bod ar y cyfan yn dewis yn ofalus cyn lladd.

'Fel arfer, pobl sy'n teithio, bodwyr, neu buteiniaid sy'n cael eu lladd, a gwaetha'r modd does 'na fawr o bwysau gan y cyhoedd a'r wasg i geisio datrys marwolaethau o'r fath, waeth pa mor erchyll ydyn nhw.

'Ond mae difaterwch yr heddlu ambell waith yn anghredadwy hefyd. Yn 1990 mi ddiflannodd myfyr-wraig o Loegr tra oedd hi'n gweithio yn Ffrainc. Am flynyddoedd mi lusgodd yr heddlu lleol eu traed, ond erbyn hyn maen nhw'n credu ei bod hi'n un o ddwy ar bymtheg o ferched a lofruddiwyd mewn cyfnod o ddeng mlynedd yn yr ardal.

'Chafodd eu hymchwiliad mo'i helpu gan y ffaith fod nifer fawr o'u ffeils am y gwahanol achosion wedi mynd ar goll. Mae hynna ynddo'i hun yn amheus hefyd.

'Mae o'n rhywbeth sy'n digwydd ledled y byd, cofiwch. Yn nhref Ciudad Juarez ger El Paso ym Mexico, mae tua dau gant o ferched wedi'u lladd yn y blynyddoedd dwethaf, ac maen nhw'n credu mai'r un criw sy'n gyfrifol am bob un o'r marwolaethau hynny.'

Cymerodd Ifan lwnc o'i baned tra sgrifennai Elen yn gyflym ddestlus. Gwnâi Dafydd ambell nodyn blêr gan ysgwyd ei ben nawr ac yn y man cyn ychwanegu, 'Mae hyn yn swnio'n debyg iawn i achos Ivan Milat yn Awstralia. Bodwyr a theithwyr roedd o'n eu lladd yndê?'

'Tebyg iawn. Mi laddodd o saith yn bendant, ond falle gymaint â thri ar hugain yn Awstralia ar ddechrau'r naw degau. Mi fyddai'n rhoi lifft i deithwyr cyn eu lladd ac yna'u claddu mewn fforestydd anghysbell.

'Ond mi allwn fod yma drwy'r dydd yn rhestru achosion. Mae'n bryd dod 'nôl at yr achosion lleol yma am funud. Rhaid i mi ddeud mai dyma'r tro cyntaf i mi glywed am y cysylltiad â'r heddwas, John Williams.

'Mae hyn yn rhywbeth newydd – syfrdanol a deud y

gwir. Ac mae'n od iawn nad ydw i wedi dod ar draws ei enw cyn heddiw. Dyna pam dwi'n deud hyn wrth y ddau ohonoch chi.'

Anadlodd Ifan yn ddwfn gan bwyso a mesur ei eiriau nesaf yn ofalus.

'On'd ydi hi'n eich taro chi'n od fod dau ddyn ifanc, oedd â bywydau mor berffaith ar un ystyr, dim problem amlwg yn eu bywyd personol na'r gwaith, wedi mygu eu hunain i farwolaeth yn eu ceir? A bod y ddau, flynyddoedd ar wahân, dwi'n cyfaddef, wedi bod yn ymchwilio i'r un straeon yn union yma yn y dyffryn?'

Oedodd y ddau i feddwl cyn i Dafydd sibrwd yn ddistaw bach gan ysgwyd ei ben, 'Do'n i ddim wedi cysylltu'r ddau o gwbl.'

Rhwbiodd ei wyneb a'i lygaid yn galed a chymryd llwnc o'r coffi oer – a'i orffen mewn dau lwnc wrth sylweddoli'n sydyn pa mor sychedig y teimlai.

'Oes gen ti unrhyw syniad beth wnaeth Calvin ar ôl i ti siarad ag o amser cinio ddoe am yr hen straeon 'na?'

Ysgwyd eu pennau yn ateb i gwestiwn Ifan wnaeth Dafydd ac Elen cyn edrych ar ei gilydd.

'Mi fydd arna i angen gweld copïau o'r straeon 'na sydd yn y ffeil os yn bosib.'

Estynnodd Elen amlen frown fawr blaen o'i bag a'i gosod yn ofalus o flaen Ifan.

'Mae 'na gopi yn fan'na o bopeth oedd yn y ffeil, wedi'u trefnu yn ôl dyddiad. Mae dwy set arall o gopïau gen i. Roedd Calvin wedi mynd ag un set ddoe, a dwi ddim yn siŵr lle mae hi erbyn hyn.'

Trodd at Dafydd. 'Mae dy set di yn y swyddfa. Mi

wnes i drio dy ffonio di neithiwr, ond doedd 'na ddim ateb.'

'Pa straeon eraill buoch chi'n gweithio arnyn nhw ddoe, 'ta? Pwy 'dan ni'n gwybod iddo fod yn eu holi?' gofynnodd Ifan iddi.

'Y ddynes sy'n dweud fod dyn wedi ceisio'i gwthio hi oddi ar y ffordd gyda char. Roedd hi'n amlwg wedi cael dipyn o fraw. Mae 'na swyddog wedi bod draw yn ei holi'n barod.' Trodd dudalen yn ei llyfr nodiadau.

'Wedyn, y cynghorydd yn y dyffryn oedd yn dweud i gar heddlu bron â'i orfodi fewn i wal.' Daliodd lygaid Ifan am eiliad. 'Wel . . . yn honni,' cywirodd ei hun yn frysiog.

'O ie. A stori ddigon ysgafn am siop newydd yn agor. Mwy o stori hys-bys na stori newyddion, a dweud y gwir. 'Dan ni'n gorfod 'u gneud nhw o bryd i'w gilydd fel ffafr i'r adran farchnata, sy'n ceisio perswadio busnesau i brynu hysbysebion yn y papur. Ond pnawn ddoe roedd o am fynd i fan'no a dwi ddim yn gwybod a gafodd o gyfle. Rown i'n gorfod gweld y deintydd,' eglurodd Elen.

Roedd Ifan yn sgrifennu'n brysur ac yn ychwanegu ambell farc cwestiwn yn ymyl rhai o'r nodiadau.

'Mi alla i'n sicr neud ymholiada am y rhain. Ond yr un dwi'n meddwl y dylsen ni ganolbwyntio arni ydi'r un am y car yn dilyn y ddynes neithiwr. Mae hynna'n swnio'n od iawn. Does dim digon o swyddogion gen i ar hyn o bryd. Os oes amser gynnoch chi i'w holi hi eto, dwi'n siŵr y cawn ni fwy o wybodaeth.'

'Be wyt ti'n feddwl am farwolaeth Calvin?' holodd

Dafydd. 'Ti'n cytuno ei fod yn edrach braidd yn od? Yn enwedig o feddwl am sut y bu John Williams farw.'

'Ydi, od iawn. 'Di o ddim yn gneud unrhyw synnwyr. Mae'n bosib iawn fod a wnelo ei farwolaeth rywbeth â'i waith ddoe, y bobl y bu'n siarad efo nhw. Mi wna i ymholiadau o fy ochr i am y straeon yma, a cheisio gweld oes 'na gysylltiad amlwg rhwng y ddwy.

'Ond nes rydan ni'n gwybod yn union be oedd Calvin yn ei wneud bnawn ddoe, mi fydd hi'n anodd. Mi ga i afael yn record ei ffôn symudol rhag ofn y bydd hynny'n help.

'Dwi'n siŵr y galla i ffeindio allan yn reit hawdd pa heddwas oedd yn y dyffryn, os oedd yna un o gwbl, ac a wnaeth y camerâu diogelwch ar y lôn gofnodi unrhyw beth. Hefyd a oes 'na record o gwynion tebyg yn ystod y misoedd diwethaf. Ac mi ga i afael yng nghanlyniad *post mortem* Calvin iti hefyd, cyn gynted ag y galla i.'

'Diolch. Mi a' i i holi pawb y buodd Calvin yn siarad efo nhw ddoe rhag ofn fod rhywbeth yn codi o hynna.' Edrychodd Dafydd yn frysiog ar ei oriawr. 'Ond yn gynta, mae'n rhaid i fi neud yn siŵr y bydd gen i swydd yr wythnos nesa. O, a gyda llaw, ddaeth 'na ragor o wybodaeth ar ôl dod o hyd i'r corff yna ddoe ar y rheilffordd?'

'Dim byd fydd o ddefnydd i ti. Dim byd alli di'i brintio, dwi'n addo. Os daw 'na rywbeth, mi adawaf i ti wybod, dwi'n addo hynny. Reit, mae'n rhaid i fi fynd. Ond cofiwch beidio rhoi dau a dau at ei gilydd a chael deg. Cadwch mewn cysylltiad.'

Cododd Dafydd ac Elen ar eu traed.

'Byddwch yn ofalus. Dwi o ddifri. Rhowch ganiad os dach chi eisiau rhywbeth. A chofia, Dafydd, dwi ddim eisiau gorfod eistedd yn dy ymyl di mewn ysbyty eto.

'Elen, pleser cwrdd â chdi. Gwna'n siŵr fod hwn yn bwyta rhywbeth call ambell dro, wnei di?'

Er ei fod yn hanner gwenu wrth ddweud hynna, doedd o ddim yn chwerthin.

Gwenodd Dafydd ei ddiolch arno a chodi'i fawd cyn diflannu o olwg ei ffrind gydag Elen, oedd yn edrych fel petai'n aros am eglurhad.

9. Y Gyrrwr

Disgynnai'r glaw yn donnau trwm wrth i'r ddau gerdded yn frysiog i glydwch a diogelwch y car. Arhosodd Elen nes eu bod yn y car, ac yn ysgwyd y dafnau glaw o'u gwallt, cyn gofyn y cwestiwn oedd ar flaen ei thafod.

'Wel?' gofynnodd. Syllodd Dafydd yn syth yn ei flaen drwy ffenestr y car.

'Mae Ifan a fi yn ffrindia da. Rai blynyddoedd yn ôl mi fu'n fy helpu i ar stori reit fawr. Ond mi wnes i wthio fy hun yn rhy galed braidd a chael damwain. Rown i mewn cyflwr reit wael am dipyn.

'Ond mae popeth yn iawn rŵan, heblaw ei fod o'n heneiddio flynyddoedd cyn ei amser ac yn meddwl ei fod yn fam imi.' Sylwodd bod dafnau dŵr yn disgyn o'r to a bachodd ar ei gyfle i newid y pwnc: 'Gwylia dy hun – mae'r to'n dueddol o ollwng dŵr o bryd i'w gilydd.'

Roedd Elen yn ymddangos yn ddigon bodlon ar yr eglurhad. Tynnodd ci llyfr nodiadau allan o'i bag. Tybed a ydi hi'n cysgu gyda'r llyfr 'na bob nos? meddyliodd Dafydd yn flin

'Reit. Mae 'na lot o betha nad ydw i'n eu dallt amdanat ti, 'sdi,' meddai gan edrych arno'n ofalus wrth iddo gychwyn y car.

'Siŵr o fod,' atebodd gan geisio swnio'n ddidaro, 'ond ar hyn o bryd y peth pwysica ydi mod i o fewn dim i golli'n swydd os na cha i stori dda ar y dudalen flaen yr wythnos yma.'

'Dwi'n gwybod. Mae'n ddrwg gen i. Mi ddywedodd Chris bopeth wrtha i bore 'ma cyn i ti gyrraedd. Gobeithio nad wyt ti'n flin efo fo am hynna,' meddai hi.

Ysgydwodd Dafydd ei ben yn sydyn wrth ddal ati i siarad, er fod ei wrychyn yn codi braidd wrth iddo amau pawb a phopeth o ymyrryd a busnesa yn ei fywyd.

'Ar ben hynna, deuddydd sy gynnon ni i ddod o hyd unrhyw dystiolaeth fod marwolaeth Calvin yn un amheus. Fel arall, bydd ei enw yn y papur a phawb yn cymryd iddo ladd ei hun, a bydd popeth da wnaeth o ar hyd ei oes yn mynd yn angof. Mae'n haeddu gwell na hynny.'

Roedd yr olwg ar wyneb Elen yn dangos ei bod yn cytuno, wrth iddi edrych yn sydyn drwy'r ffenestr ochr i guddio deigryn poeth a lamodd i'w llygaid.

'Felly, sut 'dan ni am neud hyn, bòs?' holodd yn gellweirus, gan geisio codi ysbryd y ddau ohonyn nhw. Er ei waethaf, cafodd Dafydd ei hun yn hanner gwenu hefyd.

'Mae'n rhaid i ni rannu'r straeon rhyngon ni'n dau, a gwahanu am y tro. Fe allwn ni wneud dwywaith cymaint o waith wedyn,' meddai wrthi.

Cytunodd Elen, ac aeth Dafydd yn ei flaen, 'Ond dwi'n cytuno efo Ifan y dylsan ni fod yn ofalus. A dwi dim yn hoffi'r syniad dy fod ti'n gweithio ar dy ben dy hun. Eto, does fawr o ddewis gan yr un o'r ddau ohonon ni gan fod amser mor brin.

'Dwi am i ti addo y byddi di un ai'n fy ffonio fi neu'r

swyddfa i ddeud yn union ble wyt ti bob awr, a deud ble ti'n mynd nesa. A cofia ddeud yn glir wrth bwy bynnag rwyt ti'n cwrdd â nhw fod y swyddfa'n gwybod ble rwyt ti a bod dy ffotograffydd ond funuda tu ôl i chdi hefyd.'

Cafodd ffug-salíwt gan Elen, ond roedd ei hwyneb yn dangos nad oedd hi'n cymryd ei rybudd yn ysgafn. Aeth Dafydd yn ei flaen:

'Gan iti gwrdd â'r cynghorydd a'r ddynes 'na yn barod, beth am i ti fynd 'nôl i holi ynghylch y ddwy stori wnaethoch chi cyn cinio ddoe? Fe a' i ar ôl gyrrwr y trên er mwyn cael y stori honno o'r ffordd. Rhaid i mi drefnu'r ffotograffydd hefyd.'

'Bydd rhaid iti berswadio'r gyrrwr trên i gymryd rhan yn gyntaf, wrth gwrs, neu mi gladdith Harri'r stori ynghanol y papur,' meddai hi.

'Diolch am ychwanegu at y pwysa sy arna i,' meddai Dafydd yn goeglyd. 'Beth am i ni gyfarfod yn nes ymlaen a gweld a oes unrhyw beth newydd wedi dod i'r golwg? Gobeithio y bydd Ifan wedi dod o hyd i rywbeth o'i ochr o hefyd.'

'Paid ag anghofio am stori'r siop newydd efo'r busnes y we yna chwaith,' ychwanegodd Elen. 'Dyna lle roedd Calvin am fynd y peth cynta ar ôl cinio, a beth bynnag, mae Harri am i ni glirio'i straeon i gyd. Honna fydd yr olaf, dwi'n meddwl. Biti, achos gwastraff amser ydi hi, dwi'n ama.'

'Rown i wedi anghofio'n llwyr am honno. Diolch byth dy fod ti efo fi. Pwy bynnag fydd yn gorffen gyntaf gaiff y bleser o wneud honna. Os na . . .'

Trawodd Dafydd yr olwyn lywio. 'Pam na wnes i feddwl am hyn yn gynt? Efallai fod Calvin wedi holi'n barod, a bod y nodiadau yn ei lyfr. Dyna rywbeth arall rown i wedi anghofio sôn amdano yn y caffi. Dylsan ni ofyn i Ifan gael golwg ar lyfr nodiadau Calvin, felly. Rhyfedd na wnaeth o sylwi ar y ffeil oedd gan Calvin. Ti'n siŵr nad oedd honno ddim ar ei ddesg yn y swyddfa y bora 'ma?'

'Na. Dwi'n eitha pendant fod Calvin wedi mynd â'i gopi fo o'r swyddfa bnawn ddoe a does dim golwg ohoni bora 'ma yn nunlla,' meddai Elen.

'Mae hi'n siŵr o fod yn y car, felly. A'i lyfr nodiadau hefyd. Roedd o bob amser yn nodi popeth yn y llyfr 'na.' Trodd Dafydd i edrych arni. 'Ac mi gei di ddehongli'r rheina. Mae'n llaw-fer i'n gwaethygu, os rhwbath.'

Bellach roedden nhw y tu allan i'r swyddfa, a thynnodd Elen oriadau ei char o'i bag yn barod. Edrychodd i fyw llygaid Dafydd.

'Ga i ofyn rhywbeth? Pam dy fod ti mor benderfynol o fynd ar ôl trywydd yr hen straeon 'ma? Dwi'n cyfaddef fod cysylltiad o bosib efo digwyddiadau amheus diweddar, ond oni fasa hi'n haws – ac yn saffach – i ti ganolbwyntio ar sgrifennu'r straeon sydd gen ti er mwyn diogelu dy swydd? Fel rwyt ti wedi sylweddoli dy hun yr wythnos yma, mae 'na bethau pwysicach o lawer mewn bywyd na straeon papur newydd.'

'Ti ddim yn gweld, nag wyt? Dyma'r ffordd i fi gael dianc o'r papur 'ma ac o grafangau'r Harri ddiawl 'na.

Mae'n gyfle i fi ddangos mod i'n gallu dod o hyd i straeon da a'u sgrifennu nhw.'

'Reit, dwi'n dallt. Dim ond poeni o'n ni dy fod ti'n dechra hoelio dy holl obeithion ar y straeon yma yn lle canolbwyntio ar yr hyn sy gen ti'n barod.'

'Gwell deryn mewn llaw na dau mewn llwyn, ia? Diolch i ti, ond dwi'n meddwl y galla i neud y cwbl, 'sdi. Beth bynnag am hynna rŵan . . . cofia be ddeudais i am gadw mewn cysylltiad. Bydd yn ofalus.'

'Mi fasa'n hawdd i mi ddeud rŵan nad ti 'di'r gora am gadw mewn cysylltiad,' meddai Elen yn chwareus. 'Ond wna i ddim, achos nid person fel'na ydw i,' oedd ei geiria ola wrth gau'r drws.

Gan ei fod yn ffonio Ifan, welodd o mo'r wên ar ei hwyneb wrth iddi gerdded i ffwrdd.

*   *   *

Wedi iddo siarad ag Ifan, sylwodd Dafydd fod neges ar ei beiriant ateb. Tad Anna eto, yn holi amdani. Doedd dim ateb ar ei ffôn hi nac yn y fflat, ac yn y neges gofynnodd i Dafydd ei ffonio i ddweud ble'r oedd hi. Roedd ei thaid ar ochr ei thad wedi marw.

Doedd dim peiriant ateb ar ffôn symudol Anna, felly bu'n rhaid iddo ddanfon neges tecst ati yn gofyn iddi gysylltu ar frys.

*   *   *

Tŷ teras oedd cartref Neil Jones. Gan ei fod ar ben y rhes roedd tipyn o dir y tu ôl iddo ac ar yr ochr, lle cadwai ychydig o wartheg, moch a defaid.

Wrth lwc, roedd Dafydd wedi cwrdd â'r gyrrwr trên fwy nag unwaith pan fu'n gohebu ar y clwb rygbi lleol, a doedd hi ddim yn anodd perswadio gwraig Neil i gytuno i roi cyfweliad.

Hi atebodd y drws, gan ei dynnu dros y rhiniog heb rybudd, gan edrych yn gyflym fyny ac i lawr y stryd o hen dai cyngor. Wrth gau'r drws y tu ôl iddyn nhw, siaradai fel melin bupur.

'Mi synnech chi pa mor fusneslyd mae pobl yn gallu bod pan mae rhywbeth fel hyn yn digwydd. Neb, wrth gwrs, yn cofio am yr holl deithiau wnaeth o heb ddim o'i le yn digwydd. Dyna pam 'dan ni am neud y stori yma cyn gynted â phosib efo chi, i roi stop ar yr holl alwada 'ma yn holi am bob manylyn. A rydan ni'n eich trystio chi hefyd,' ychwanegodd.

Gostyngodd ei llais fymryn a phwyso'n nes ato. ''Di o ddim yn rhy dda, wyddoch chi. Methu cysgu, er fod y doctor 'na'n taflu tabledi fel marblis i lawr ei gorn gwddw fo.'

Cafodd Dafydd ei arwain i'r stafell fyw lle'r eisteddai Neil Jones gan syllu drwy'r ffenestr oedd yn rhoi golygfa wych ar hyd y dyffryn.

'Neil, mae Dafydd o'r *Coast Weekly* wedi galw heibio i dy weld di. Mi wna i baned i'r ddau ohonoch,' a chyfeiriodd ef i sedd gyferbyn â'i gŵr.

'Sut mae petha, Mr Jones? Ddrwg gen i orfod cwrdd â chi dan amgylchiada o'r fath.'

Trodd Neil yn araf i edrych arno, gan graffu a chrychu'i dalcen yn galed cyn iddo gofio. Edrychai ei lygaid fel petai wedi rhwbio llond pot o bupur i mewn iddyn nhw.

'O ia. Chi 'nath ein helpu ni efo apêl y clwb rygbi. Roedd hynna'n lot o help. Diolch.'

'Falch o glywad. Mae'r clwb 'di cael tymor rhagorol arall, yn do?' Nodiodd Neil a gwenu rhyw fymryn.

Aeth Dafydd yn ei flaen, 'Mae'n ddrwg gen i orfod cwrdd â chi dan amgylchiada fel hyn, ond rhyw feddwl rown i, tasech chi'n cael cyfla i ddeud eich stori, y basa hynny'n arbed pobl rhag eich holi chi dro ar ôl tro. A chyfle i chi roi eich ochor chi o'r stori, wrth gwrs.'

Teimlai Dafydd bron fel parot yn ailadrodd yr un hen frawddegau gwag wrth bobl oedd mewn poen.

'Sgwrs fach, 'na'r oll, ac os cawn ni dynnu llun, mi fasa hynna'n rhoi diwedd ar y mater, yn basa?'

Roedd Mrs Jones 'nôl yn y stafell bellach, gyda llond hambwrdd o de a bisgedi, a chododd ei haeliau wrth glywed sôn am y ffotograffydd.

'Wrth gwrs, gan fod hon yn stori mor sensitif, mi alla i adael i chi weld copi ohoni cyn iddi gael ei chyhoeddi i neud yn siŵr 'i bod hi'n deg efo chi,' ychwanegodd Dafydd.

Gwyddai Dafydd y byddai wedi addo rhedeg yn noethlymun drwy Stadiwm y Mileniwm cyn gêm fawr er mwyn cael y stori hon, heb sôn am dorri un o reolau sylfaenol newyddiaduraeth.

Roedd ei eiriau i weld yn eu bodloni.

'Cymerwch eich amser, a jest deudwch be dach chi'n

gofio o'r munuda yna cyn y ddamwain,' meddai Dafydd cyn cydio'n awchus mewn bisged ac yna'r baned. Doedd o'n dal heb fwyta dim ers codi oddi ar y soffa y bore hwnnw.

'Gadwch i fi weld.' Siaradai Neil Jones dipyn arafach nag arfer, ond doedd dim syndod yn hynny, meddyliodd Dafydd. 'Dwi 'rioed wedi cael damwain yn ystod fy holl yrfa fel gyrrwr. Erioed,' pwysleisiodd.

Gwenodd Dafydd arno'n gefnogol.

'Roedd hi'n noson ddigon stormus, ond ddim yn rhy dywyll, er fod y cymyla'n isel – achos y lleuad lawn, mae'n debyg. Doedd dim problem gweld y trac o gwbl, ac mi fydda i'n cadw golwg agos arno fo drwy'r adeg. Does wybod pa anifail sy'n crwydro'n rhydd yn y caeau 'ma. Dwi wedi deud ers blynyddoedd fod angen ffens ddiogelwch bob ochr i'r trac, ond does neb yn gwrando. Costio gormod, mae'n siŵr gen i.'

Yn ei feddwl gwelai Dafydd bennawd yr erthygl yn syth. Sylwodd fod y gyrrwr yn edrych drwy'r ffenestr eto.

'Dwi'n dallt yn iawn, Mr Jones. Felly beth welsoch chi ar ôl hynna?'

'Toc cyn deng munud i naw oedd hi. Rown i newydd basio croesffordd Tŷ Nant, a dwi'n gwybod mod i ar amsar os dwi yn fan'no am un munud ar ddeg i naw.

'Rown i newydd ddod rownd y tro, ac mi welis i o'n syth, yn gorwedd ar y rheilffordd. Roedd yn gorwedd yn berffaith fflat dros y trac a'i ben yn cyfeirio tuag at y ffordd, fel tasa fo wedi dod o gyfeiriad y goedwig.

'Mi wnes i daro'r *emergency stop* yn syth, a'r corn, a

dal hwnnw i lawr wrth bwyso allan o'r ffenast. Mi wnes i weiddi arno fo hefyd, er fod y corn a'r brêcs yn siŵr Dduw o fod wedi boddi fy llais i.

'Symudodd o ddim, ac mi chwalodd y trên i fewn iddo fo. Doedd gen i ddim gobaith stopio, 'chi. Allai o ddim fod wedi dewis lle gwaeth i fod wedi disgyn.'

Pwysodd 'nôl gan edrych ar ei wraig, yna ar Dafydd ac yna ar y plât o fisgedi. Trodd at ei wraig.

''Nei di ddim mynd i nôl y *Garibaldis*, os gweli di'n dda? Mae gen i'r blys rhyfedda am y rhcina rŵan. A fasa'n well i ti neud dy wallt, cyn i'r ffotograffydd 'na gyrraedd?' meddai, gyda rhyw hanner ymgais at jôc.

Ond unwaith roedd ei wraig allan o'r stafell, pwysodd ymlaen at Dafydd a dweud mewn llais cyfrinachol, crynedig, 'Welis i mo'r trên yn ei daro fo, 'chi. Mi wnes i droi i ffwrdd i edrach i fyny am y goedwig.'

Oedodd cyn siarad yn ddistaw, fel petai iddo'i hun.

'Ond mae'n rhaid i fi ddeud wrth rhywun. Wrth i mi edrach i fyny am y goedwig, mi faswn i'n taeru mod i wedi gweld siâp dyn yn sefyll yno – cysgod du perffaith o siâp person – jest cyn y sŵn ofnadwy yna wrth i'r trên . . .

'Dwi heb sôn wrth yr un enaid byw am hyn, rhag ofn i rywun feddwl mod i'n dechra colli arnaf fy hun. Ond roedd rhaid i fi ddeud wrth rywun. Dach chi'n addo peidio printio hwnna? A plîs peidiwch â sôn wrth y wraig. Mae hi'n poeni digon amdana i fel mae hi.'

'Peidiwch â phoeni, Mr Jones. Dwi'n siŵr, rhwng popeth, fod y llygada'n gallu chwara pob math o dricia.

Mae'n hollol amlwg eich bod chi wedi gneud popeth o fewn eich gallu i drio osgoi hyn; mewn gwirionedd, doedd dim gobaith gynnoch chi o gwbl.'

Daeth Mrs Jones 'nôl i'r stafell wedi rhoi brwsh drwy ei gwallt, gwisgo blows lân a tharo cardigan wlân liwgar dros ei hysgwyddau.

'Diolch yn fawr i'r ddau ohonach chi am eich amser,' meddai Dafydd. 'Mi wna i'ch gadael chi rŵan, ond bydd y ffotograffydd yma mhen dim. Bydd llun o'r ddau ohonach chi'n sefyll fama yn y stafall fyw yn grêt. Dim angan ichi fynd i draffath. Ac mi wna i'n siŵr fod rhywun yn gadael copi o'r stori yma cyn iddi gael ei phrintio bnawn Gwener.'

Hebryngodd Mrs Jones ef at y drws gan adael ei gŵr yn syllu unwaith eto drwy'r ffenestr ac yn ymestyn am y botel dabledi oedd ar fraich ei gadair.

Gwyddai Dafydd fod stori dda ganddo, un fyddai'n rhoi tipyn bach o amser iddo rhag llid Harri, ond roedd disgrifiad byw Neil Jones o'r cysgod du ar y bonc yn gwylio'r trên yn taro'r corff yn rhedeg rownd a rownd ei ben.

Roedd wedi llwyddo i ddarbwyllo Neil Jones mai ei lygaid oedd wedi chwarae triciau arno dan y straen. Ond doedd Dafydd ei hun ddim yn credu gair o'i eglurhad.

10. Y DYN BUSNES

Teimlai Elen ias oer ym mhwll ei stumog wrth iddi fynd 'nôl i'r un tŷ lle bu ddiwrnod ynghynt yng nghwmni Calvin. Mynnai darlun ohono yn farw oer yn ei gar aros yn ei meddwl drwy gydol ei hail gyfweliad â Nicola Short yn ei chartref clyd.

Ceisiodd ganolbwyntio arni hi, gan wneud ei gorau i yrru'r darlun poenus o'i phen. Dynes hardd, tua'r deugain oed, wedi'i gwisgo'n dda, oedd Nicola, ond bod llinellau ysmygu'n dechrau dod i'r golwg dan y colur. Treuliodd Elen awr yn ei holi, ac roedd hi'n rhyfeddol o barod i fynd dros yr un stori eto.

Adroddai'n ddramatig sut y gwelodd gar heddlu tua hanner awr wedi saith y noson honno, a sut y trodd hwnnw i lawr ffordd y dyffryn. O fewn munudau roedd yn ofni am ei bywyd, meddai. Roedd car arall wedi dod i'r golwg a bron wedi ei gorfodi oddi ar y ffordd. Fe gafodd ci dilyn gan y car am filltiroedd, a chael cymaint o fraw nes iddi yrru fel ffŵl am dros awr i geisio dianc.

'Biti na fasa'r car heddlu wedi bod funud yn hwyrach, achos mi fasan nhw wedi'i ddal o,' meddai.

Eisteddai ei gŵr yn ei hymyl, yn gafael yn ei llaw a'i chusanu bob hyn a hyn. Gwnaeth ei orau i wisgo dillad a oedd, yn ei farn ef, efallai, yn ffasiynol. Ond doedd dim clem ganddo, meddyliodd Elen – trowsus llwyd fel iwnifform ysgol, a hwnnw'n rhy lac i'w ffrâm denau, a

109

siwmper o'r math a welir ar y cwrs golff yn cael eu gwisgo gan ddynion sy'n gweld dim ond du a gwyn.

'Roedd o'n brofiad ofnadwy, wir. Wna i fyth ei anghofio, a deud y gwir,' oedd geiriau olaf Nicola Short.

*   *   *

Roedd y Cynghorydd Richards yntau yr un mor bendant ynghylch ei stori ef. Y tro hwn, gwnaeth Elen nodyn arbennig o'r amseroedd, a beth oedd hyd y daith i dŷ chwaer y cynghorydd ar hyd ffyrdd y dyffryn. Ond roedd rhywbeth yn dweud wrthi ei bod wedi anghofio rhyw fanylyn pwysig.

Wedi iddi adael cartref y Cynghorydd penderfynodd ffonio Dafydd. Roedd yn poeni amdano; doedd o ddim yn edrych yn iach o gwbl. Atebodd yntau bron ar unwaith, er ei fod yn gyrru.

'Aros i fi dynnu i'r ochr am funud, neu mi fydd yr heddlu'n siŵr o fy arestio,' meddai wrthi.

Wedi eiliad neu ddwy, ailgydiodd Dafydd yn y sgwrs. 'Dwi newydd fod yn siarad efo Ifan hefyd. Ond, yn gyntaf, dwed ti wrtha i be wyt ti wedi dod o hyd iddo, os rhywbeth?'

'Fawr ddim byd newydd ers ddoe, a deud y gwir,' atebodd Elen. 'Mae Nicola Short yn glynu at ei stori fel gelen. A'r Cynghorydd Richards hefyd,' ychwanegodd.

'Wel, mi gawn ni anghofio am Nicola, beth bynnag. Bydd un o swyddogion Ifan yn cael gair efo hi yn nes mlaen heddiw, am wastraffu amser yr heddlu. Roedd o'n swnio braidd yn flin, a deud y gwir, ond mae'n debyg nad oedd 'na'r un car heddlu ar y ffordd yr adeg yna o'r nos.

'Yn ail, tynnwyd llun ei char gan gamera traffic yr heddlu ger twnnel yr A55 nos Sul, yn gyrru'n hamddenol gyda rhywun yn y car efo hi. Mi drodd y car oddi ar y lôn wedyn ym Mhenmaen-mawr ac ailymuno â'r ffordd rhyw awr yn ddiweddarach yn yr un lle, heb y teithiwr.

'Mi fetia i fy het ei bod hi'n gweld rhywun ar y slei, bod ei gŵr wedi dod adre dipyn cynt na'r disgwyl ac eisiau gwybod ble buodd hi. I achub ei chroen ei hun, mi aeth ati i greu rhyw stori rwtsh fel hon er mwyn taflu llwch i lygaid ei gŵr.'

'Reit, dyna ddiwedd ar honna 'ta,' meddai Elen yn siomedig. 'Ti'n gwybod rwbath am y stori arall cyn i fi fynd ymlaen?'

'Yn ôl Ifan, doedd 'na'r un car heddlu na heddwas yn y dyffryn y noson honno chwaith. Ond all o ddim deud hynna'n gyhoeddus neu mi fasa'n derbyn pob math o gwynion am ddiffyg plismona cefn gwlad Cymru.'

'Falla wir, ond mae Richards yr un mor bendant ei stori fod car yn gyrru'n wyllt ar ochr anghywir y ffordd am hanner awr wedi saith neithiwr, a bron â'i orfodi oddi ar y lôn. Mae o'n siŵr mai car heddlu oedd o hefyd,' meddai Elen. 'A wedyn, tua naw o'r gloch, wrth fynd 'nôl am adre, mi welodd y car wedi'i barcio heb fod yn rhy bell o'r un lle ac arhosodd i roi pryd o dafod i'r gyrrwr. Ond cafodd ei orchymyn gan rywun – mae'n taeru mai plismon oedd o – i adael reit gyflym. *Or else*, oedd y rhybudd gafodd o.'

Distawrwydd o ben arall y ffôn. Dim ond sŵn tudalennau'n cael eu troi'n gyflym. Yna Dafydd yn rhegi.

'Damia. Rŵan dwi'n sylwi ar hyn. Mae'r amser yna'n cyd-fynd. Gwranda. Mi welodd y Cynghorydd Richards gar yn gyrru'n orffwyll yn y dyffryn tua hanner awr wedi saith.

'Am ddeng munud i naw mae'r trên i Gyffordd Llandudno yn taro corff dyn ar y trac. Mae'r gyrrwr yn taeru iddo weld cysgod person yn sefyll ar y bonc uwchben y rheilffordd.

'Ddeng munud yn ddiweddarach, mae Richards yn gweld car wedi aros wrth ochr y lôn – yr un car fu bron ag achosi damwain yn gynharach. Mae'n aros yno, ac o fewn ychydig funuda mae 'na ddyn – heddwas, mae Richards yn credu – yn neidio dros y ffens o'r goedwig ac yn rhoi gorchymyn iddo fynd oddi yno.

'Rŵan. Edrycha eto ar fanylion stori Nicola Short. Toc cyn hanner awr wedi saith mae hi'n gweld car heddlu ar yr A55 yn troi i lawr am ffordd y dyffryn.'

Torrodd Elen ar ei draws. 'Ond mae'r heddlu'n taeru nad oedd yr un car yn y cyffinia.'

'Yn hollol. Ond dwyt ti ddim yn meddwl fod 'na dipyn o gyd-ddigwyddiad yma? Fod dau dyst 'di gweld ceir heddlu a heddweision lle nad ydyn nhw i fod? Ar ben hynna, mae 'na gorff ar y rheilffordd tua'r un amser.'

'Be felly? Ti'n meddwl fod rhywun yn dynwared yr heddlu? A falla mai nhw sy'n gyfrifol am hyn?' holodd Elen yn gyffrous.

Bu distawrwydd am ennyd nes i Dafydd ddweud, 'Yn union. Pa esboniad arall sy 'na?'

'Beth wyt ti am ddeud wrth Ifan?' holodd Elen yn ddistaw.

'Rhaid meddwl yn galed am hyn cyn gneud dim. Mae o braidd yn anghredadwy, ond all hyn i gyd ddim bod yn gyd-ddigwyddiad, na allith? A Calvin yn lladd ei hun ydi'r ffaith fwya anghredadwy.

'Dwi wedi trefnu cwrdd ag Ifan yn hwyrach. Mae o am ddod â llyfr nodiadau Calvin i ni gael golwg arno hefyd. Doedd dim golwg o'r ffeil yng nghar Calvin chwaith.'

'Gall hynny ein harbed ni rhag gorfod holi'r dyn busnes 'na,' meddai Elen yn obeithiol. Roedd y straeon oedd gan y ddau i'w sgrifennu yn addo noson hwyr yn y gwaith.

'Ti'n iawn, mae amser yn brin, ond dwi'n dal am ei holi. Falla fod Calvin wedi dweud rhywbeth wrtho am ei gynllunia weddill y diwrnod, ac mae o'n byw ar fy ffordd 'nôl i'r swyddfa beth bynnag.'

Crynodd ffôn symudol Dafydd, a gwelodd mai rhif cartref rhieni Anna oedd yno. Penderfynodd anwybyddu'r alwad.

'Beth am i ti fynd 'nôl i edrych drwy'r straeon yn y ffeil cyn cyfarfod Ifan? Ti'n gwybod, yr hen achosion 'na. Gofynna i Chris beth i neud ynghylch y ddwy stori yma sy gen ti.'

'Mae'n debyg fod hynny'n dibynnu ar faint o le sydd i'w lenwi yn y papur yr wythnos yma. Tipyn, siŵr o fod. Bydd bwlch mawr ar ôl Calvin. Galla i alw 'nôl yn y swyddfa wedyn, a rhoi stori'r gyrrwr i fewn cyn cwrdd efo Ifan eto. Fel'na ella cawn ni dipyn bach o lonydd a mwy o amser gan Harri.'

*   *   *

Cyrhaeddodd Dafydd gartref y dyn busnes, Milton Cody, yng Nglan Conwy am ddau o'r gloch. Clamp o hen blasty oedd o, tua hanner milltir o'r ffordd, gyda waliau'n amgylchynu'r tir. Roedd y giât ar agor gan fod Cody'n disgwyl ymwelydd.

Cofiai Dafydd ddarllen am y plasty: hen gartref teulu uchelwrol aeth yn fethdalwyr oherwydd gamblo'r etifedd olaf yn fuan wedi'r rhyfel.

Roedd yn prysur fynd â'i ben iddo er gwaetha'r arian a wariwyd arno gan Cody. Roedd nifer o'i fusnesau wedi mynd i'r wal dros y blynyddoedd, a doedd fawr o obaith am y diweddara chwaith – gwerthu tabledi llysieuol dros y we ac o siop newydd yn y pentre.

Gŵr tal yn tynnu at ei drigain oed, ei wallt yn britho a sbectol drwchus ar ei drwyn, oedd Milton Cody. Roedd ei ddillad tywyll yn hongian oddi ar ei ffrâm fain, chwe throedfedd, wrth iddo ysgwyd llaw Dafydd a'i gwasgu nes bod pob gewyn yn clecian. Taerai Dafydd iddo weld Cody yn gwenu wrth iddo wneud hynny.

Arweiniodd Dafydd i ystafell fawr lle'r oedd tân wedi'i osod yn y grât, ond heb ei gynnau. Roedd oglau lleithder a llwch drwy'r lle.

'Croeso i chi yma i'm cartref. Rydw i'n cymryd eich bod yn gwybod i'ch cyd-weithiwr, Mr Calvin Jac os

114

cofia i'n iawn, fod yma bnawn ddoe yn barod?' gofynnodd Cody gan syllu i fyw llygaid Dafydd.

Siaradai Gymraeg ffurfiol a chywir dysgwr cydwybodol gydag ond tinc o acen – acen Almaenig, efallai, meddyliodd Dafydd yn sydyn.

'Dafydd Smith ydi'r enw, a diolch i chi am gytuno i ngweld i ar fyr rybudd fel hyn. Ydw, dwi'n gwybod fod Calvin wedi galw heibio bnawn ddoe. A dyna pam dwi yma, a deud y gwir wrthoch chi. Mi fu farw Calvin rywbryd neithiwr. Dipyn o sioc i bawb, a does neb yn gwybod hyd yma beth yn union ddigwyddodd.'

'Bobol bach! A fynta'n ddyn mor garedig. Sgwennwr talentog hefyd, dwi'n siŵr. Roedd yn fanwl iawn ei holi a'i nodiadau. Mae'n ddrwg iawn gen i glywed am eich colled. Ond maddeuwch i fi, cymerwch sedd. Alla i gynnig rhywbeth i chi yfed, efallai?'

'Dwi'n iawn, diolch, ond diolch ichi am gynnig 'run fath,' meddai Dafydd, wrth eistedd ar un o'r cadeiriau lledr oedd yn yr ystafell fyw. Y math o gadeiriau'n union y dychmygai aelodau clybiau preifat Llundain yn eistedd arnynt wrth ysmygu sigârs.

'Rydw i'n siŵr i fi glywed rhywbeth am hyn ar y radio yn gynharach y bore 'ma. Mae'n rhyfedd, yn tydi, sut mae dynion ifanc fel'na'n lladd eu hunain, Mr Smith? Oes ryfedd ydi hon.'

Dim mor rhyfedd â chdi, meddyliodd Dafydd wrth sylwi ar ddwylo main Cody yn plethu a dad-blethu'n gyson wrth iddo siarad.

'Dyna pam dwi yma, a deud y gwir. I weld ydych chi'n cofio rhywbeth anghyffredin yn ei gylch o ddoe.

Unrhyw beth o gwbl. Wnaeth o ddeud rhywbeth, neu sôn am lle'r oedd o'n bwriadu mynd nesaf ar ôl eich gweld chi?'

Teimlai Dafydd gefn ei wddw a'i ysgwyddau'n cyffio yn yr oerfel llaith er ei fod yn gwisgo'i got fynydda.

'Gadewch i mi feddwl rŵan,' meddai Cody gan bwyso ar gefn cadair bren uchel. 'Na, does dim byd yn dod i'r meddwl yn syth. Os dwi'n cofio'n iawn – a tydi'r hen gof yma ddim yn ddi-feth y dyddia yma – dim ond am y busnas newydd y buon ni'n siarad.

'Ro'n i'n cael y teimlad rhywsut ei fod o ar frys. Welwn i ddim bai arno fo. Stori ddigon dibwys ydi hon o'i chymharu â'r straeon eraill fyddwch chi'n mynd ar eu hôl, mae'n siŵr. Dim ond gwneud ei waith oedd o. Na, mae'n ddrwg gen i. Alla i mo'ch helpu chi.'

Teimlai Dafydd yn siomedig. Roedd yn obeithiol iawn y byddai Calvin wedi sôn rhywbeth am ei gynlluniau.

'Wna i mo'ch cadw chi'n hirach 'ta, Mr Cody. Ddrwg gen i am eich distyrbio fel hyn, a chitha mor brysur.'

Cerddodd am y drws gan gael ei hebrwng yn ddistaw gan Cody. Teimlai Dafydd, fel Elen yn gynharach, ei fod wedi anghofio am fanylyn pwysig.

*   *   *

Rhoddodd Dafydd alwad sydyn i Chris i'w rybuddio na fyddai yn y swyddfa tan yn hwyrach y noson honno, gan addo y buasai stori'r gyrrwr trên wedi'i hysgrifennu erbyn y bore canlynol.

Diolchodd Chris iddo, cyn ei rybuddio fod y Golygydd yn disgwyl y byddai wedi gwneud popeth erbyn diwedd y diwrnod wedyn.

Yna fe'i daliwyd gan dad Anna. Pan ganodd y ffôn, atebodd y rhif gan nad oedd yn ei adnabod.

'A! Dafydd. O'r diwedd. Does dim posib cael gafael arnoch chi yn unlle.' Siaradai tad Anna gan ddefnyddio'r dôn gyhuddgar a godai wrychyn Dafydd bob amser.

'Dach chi'n gwybod lle mae Anna? Dydy hi ddim fel hi o gwbl i beidio â chysylltu. Dydan ni heb glywed gair ganddi ers nos Wener. Does byth ateb yn eich fflat chi, chwaith. Mi fasa rhywun yn meddwl nad ydech chi'n byw yno. Lle mae hi, Dafydd?'

Wnaeth Dafydd ddim oedi eiliad cyn dweud mwy o gelwydd. Dyna'r unig ffordd i gael hwn oddi ar ei gefn, meddyliodd. Wedi'r cyfan, nid ei fai o oedd bod Anna'n dewis peidio cysylltu â'i rhieni ei hun.

'Cyn belled ag y gwn i, mae popeth yn iawn, ond ei bod hi wedi mynd allan,' meddai Dafydd yn gadarn. 'Dwi wedi gadael negeseuon iddi, ond gan nad ydi hi'n eu hateb, dwi'n cymryd ei bod hi'n brysur. Peidiwch â phoeni. Cyn gynted ag y gwela i hi nesaf, mi ddyweda i wrthi am gysylltu. Mae'n wir ddrwg gen i, ond dwi'n ei chanol hi braidd ar hyn o bryd, ac ar drywydd stori bwysig. Wythnos fawr, 'chi. Stori fawr, fwy na'r llall hyd yn oed.'

Wyddai Dafydd ddim pam ei fod yn dweud hyn wrth

Mr Bennett, fel pe bai'n dal i geisio ei blesio. Nid fod hynny'n debygol o newid unrhyw beth bellach.

'Hy! Ffliwc arall,' meddai tad Anna dan ei wynt,

Collodd Dafydd ei amynedd yn llwyr gydag o. Doedd o ddim wedi dweud 'run gair wrtho ers iddo symud 'nôl i ogledd Cymru.

'Helô? Ydach chi'n dal i nghlywed i? Mae'r signal yn wan iawn y pen yma. Dwi'n siŵr mod i ar fin eich colli chi,' meddai Dafydd gan grafu'r derbynnydd â'i fawd. Yna pwysodd y botwm i ddiweddu'r alwad cyn taflu'r ffôn yn erbyn sedd y car a rhegi Anna a'i theulu.

11. FFRAEO

Roedd y caffi yr un mor ddistaw ar derfyn dydd ag yr oedd bob bore. Eisteddai'r ddwy ferch oedd yn gweini ar y cownter gan edrych yn awgrymog ar y cloc wrth i Dafydd ac Elen archebu paned o goffi a phaned o de. Roedd un ferch eisoes wedi newid o'i ffedog waith las ac yn barod i wisgo'i chot.

Unwaith eto roedd Ifan yno'n aros am y ddau.

'Diwrnod prysur?' gofynnodd Dafydd iddo wrth nesáu gyda'i baned o goffi du.

Codi'i ysgwyddau wnaeth Ifan gan aros yn ei sedd. Roedd dafnau o law ar ysgwyddau ei got agored ac roedd ei dei wedi'i llacio. Ar y bwrdd o'i flaen roedd llyfr nodiadau Calvin a phentwr o bapurau a'i nodiadau taclus drostyn nhw.

'Ydi. Lot rhy brysur a deud y gwir. Dwi ddim yn siŵr beth i neud na lle i fynd nesa.'

Eisteddodd Dafydd gan wynebu ei hen ffrind tra tynnodd Elen ei chot ac ysgwyd y glaw oddi arni cyn ei phlygu dros gefn cadair gyfagos ac eistedd wrth ochr Dafydd.

'Tydi'r ffeithiau ynglŷn â rhai o'r hen achosion 'ma ddim yn gwneud synnwyr o gwbl, a fedra i ddim cael gafael ar rai ohonyn nhw o gwbl. A tydi'r *hoax calls* yma gan aelodau gwallgof o'r cyhoedd ddim yn helpu chwaith. Gwastraffu'n hamser ni i ddim byd.'

Pwyntiodd â'i feiro at Dafydd. 'Dach chi ddim am

119

brintio'r rheina, nacdach? Dwi'n dallt eich bod chi,' meddai, gan gyfeirio at Elen, 'wedi bod yn holi'r bobl 'ma eto.

'Eu taflu nhw i gell am benwythnos sydd angan, i ddysgu gwers iddyn nhw i beidio â gwastraffu amser yr heddlu. Tasen nhw'n cael llai o sylw gan y cyfrynga fasan nhw ddim yn trafferthu cwyno am bethau fel hyn.'

Tawodd Ifan yn sydyn. Roedd yn amlwg ei fod wedi sylweddoli iddo ddweud gormod.

'Beth bynnag. Maddeuwch imi. Mae wedi bod yn goblyn o ddiwrnod anodd. Fedra i ddim aros yn hir, ond roeddat ti'n deud fod gen ti rywbeth pwysig iawn i'w drafod efo fi?' meddai Ifan, oedd yn edrych yn flin â'i hunan ar ôl colli'i dymer mor gyhoeddus.

'Mi gawn ni drafod y straeon eraill 'na yn y munud,' atebodd Dafydd yn gyflym cyn cymryd llwnc o'i baned. 'Ond be'n union ti'n feddwl wrth ddeud fod 'na ffeithiau od ynghylch y straeon yma?'

Roedd Elen wedi eistedd i lawr bellach, a thynnodd lyfr nodiadau Calvin tuag ati. Rhoddodd Ifan ei law arno am eiliad.

'Mae'n ddrwg gen i – cyn i fi anghofio, alla i ddim gadael i chi fynd â hwn oddi yma. Gan fod yr ymchwiliad i'w farwolaeth yn dal ar agor, mae hwn yn rhan o'r dystiolaeth, am y tro. Mae'n debyg o ddod i ben mewn diwrnod neu ddau, gyda llaw. Ond croeso i chi gael golwg arno fan hyn wrth gwrs.' Tynnodd ei law oddi arno a dechreuodd Elen bori trwyddo.

'Cyfeirio at yr hen achosion 'na o'r saith degau roedd dy straeon di?' gofynnodd, gan droi at Dafydd. 'Mae

120

'na rywbeth od iawn ynghylch yr achos yma. Mae lot o'r hen ffeils 'ma roedd y straeon yn cyfeirio atyn nhw, a'r rhai roedd DC John Williams yn gweithio arnyn nhw, ar goll.

'Ambell waith does 'na ddim cofnod o gwbl fod ffeil erioed wedi'i hagor, na chŵyn o fath yn y byd wedi'i gwneud hyd yn oed. Mae'n anodd gen i gredu y buasai dy bapur di wedi cael cyhoeddi straeon am ymosodiadau o'r fath os nad oedd y rheiny wedi'u hadrodd wrth yr heddlu hefyd.

'Ond yr unig enw y galla i ddod o hyd iddo fo, a hynny dim ond ar ambell ffeil neu wrth holi rhai o'r hen swyddogion, ydi enw John Williams, ac wrth gwrs alla i mo'i holi fo. Mae pawb sy'n ei gofio yn ei ganmol fel heddwas cydwybodol, trylwyr a dawnus.

'Un ai mae rhywun acw wedi bod yn flêr iawn wrth symud yr archif i'r swyddfa newydd tua deng mlynedd yn ôl, neu wedi dinistrio lot o'r hen ffeiliau papur i arbed gwaith cofnodi, neu . . .' Wnaeth o ddim parhau â'i frawddeg.

'Mae rhywbeth yn od yma hefyd,' meddai Elen gan dorri ar ei draws yn sydyn wrth iddi gymharu llyfr nodiadau Calvin â'i llyfr hi trwy eu dal ochr yn ochr.

'Yr un llyfrau yn union, o storfa'r papur, ydy'r rhain. Ond mae un Calvin dipyn teneuach, fel tasa fo wedi tynnu tudalennau ohono. Mae hynny'n beth rhyfedd, achos fe wnaeth o fy rhybuddio fwy nag unwaith na ddylwn i byth wneud hynny rhag ofn y buasai rhywun eisiau gweld fy nodiadau am stori tasai cŵyn yn codi am gywirdeb ffeithiau.

'Hyd y gwela i, mae'r nodiadau am bore ddoe yn gyflawn, ac wedyn nodyn byr am ysgrifennu stori nodwedd rywbryd, ond dim byd wedyn. Dwi'n meddwl fod saith neu wyth tudalen ar goll. Cwestiwn ydi'r cofnod ola, '*beth am gyhoeddi stori ar hwn hefyd?*'

'Roedd Calvin yn hoff iawn o roi beth bynnag oedd yn dod i'w feddwl i lawr ar bapur,' meddai Dafydd. 'Trwy wneud hynny roedd o'n taeru na fasai o byth yn anghofio dim. Mae'n swnio fel petai o'n bwriadu gwneud stori arall ar y dyn busnas 'na, Milton Cody, yn y dyfodol. Rhaid ei fod wedi sylwi ar rywbeth na welis i mohono fo.'

Daliodd Elen i fodio drwy'r tudalennau gan wneud ambell nodyn yma ac acw yn ei llyfr ei hun.

'Doedd gan hwnnw fawr mwy i'w ddweud pnawn 'ma, dim ond i Calvin fod yno am ryw hanner awr cyn gadael heb ddeud gair am ble'r oedd yn mynd nesaf,' meddai Dafydd.

Roedd talcen Ifan wedi'i grychu mewn penbleth wrth iddo edrych drwy'r nodiadau oedd ar ddarnau rhydd o bapur o'i flaen. Heb godi'i ben, dywedodd,

'Fel dwedais i, dwi ddim yn siŵr beth i wneud nesaf. Ond beth roeddat ti eisiau 'i ddeud wrtha i, felly? Falle gelli di fy helpu i ddatrys y lobscows 'ma o stori.'

Edrychodd y ddau ohebydd ar ei gilydd cyn i Dafydd fwrw mlaen a dweud wrth Ifan am eu hamheuon yn sgil y straeon am bobl yn gweld car heddlu a swyddog yn y dyffryn y noson honno.

'Rydan ni'n credu'n gryf fod 'na gysylltiad pendant rhwng hyn a'r corff ar y rheilffordd. Dyna'r esboniad fasai'n egluro lot fawr o bethau, heb sôn am y ffaith fod y ffeils 'na ar goll yn y pencadlys,' meddai Dafydd.

Ni ddywedodd Ifan yr un gair, er fod y beiro yn ei ddwrn bron â cael ei thorri'n ddwy. Roedd ei figyrnau a'i wyneb yn wyn fel y galchen, a phan siaradodd, roedd yn gwneud ymdrech amlwg i reoli'i lais.

'Dwi'n cytuno fod hynna'n swnio'n od. Ond mi fasa ffugio bod yn aelod o'r heddlu'n creu llond gwlad o broblema i bwy bynnag sy'n gyfrifol am hyn. I gychwyn, mi fasa hi bron yn amhosib cael gafael ar gar heddlu go iawn, a tydi'r wisg ddim yn hawdd i gael gafael arni chwaith,' meddai Ifan gan ysgwyd ei ben yn bendant.

Pwysodd Dafydd ymlaen yn ei sedd gan wthio'r papurau i'r neilltu. 'Ti ddim yn dallt be dwi'n trio'i ddeud wrthat ti. Ond mi fasa'n egluro pam fod pobl yn gweld heddweision pan nad oedd neb ar ddyletswydd yn y cyffinia, a hyd yn oed sut mae o wedi llwyddo i aros yn rhydd ar hyd yr holl flynyddoedd 'ma.'

Lledodd Dafydd ei ddwylo ac eistedd 'nôl yn ei sedd. Gwelai fod Ifan yn dal i ysgwyd ci ben a sylweddolodd y byddai argyhoeddi ei gyfaill yn waith caletach nag yr oedd wedi'i ofni. Roedd yn edifar ganddo eu bod wedi ffraeo'r noson cynt.

'Falla fod 'na bosibilrwydd arall,' meddai Dafydd yn ddistaw, gan edrych ar y bwrdd.

'A be ydi hwnnw, felly?' gofynnodd Ifan, gan swnio'n amddiffynnol. Sylwodd fod Elen yn dal i ysgrifennu nodiadau.

'Wyt ti wedi ystyried o gwbl efallai fod heddwas go

iawn yn gwneud hyn, pan nad ydi o'n gweithio? Mi fasa hynna'n egluro lot fawr, ti ddim yn meddwl?'

Tagu chwerthin wnaeth Ifan, gan ei ateb ar unwaith.

'Basa, i chdi a dy stori daclus bapur newydd! Ond dwi'n nabod swyddogion yr ardal i gyd. Dim ond llond dwrn sy'n ddigon hen i fod y tu ôl i hyn a dwi'n eu nabod nhw'n dda. Fedra i ddim coelio'r peth o gwbl.' Roedd ei wyneb wedi cochi'n sydyn.

'Ifan,' mynnodd Dafydd, 'mae 'na ffeils pwysig wedi mynd ar goll o bencadlys yr heddlu. Ffeils oedd yn ymwneud ag ymosodiadau difrifol, a llofruddiaethau hefyd. Nid rhyw hen waith papur yn delio efo torri fewn i siop y gornel neu yrru'n rhy gyflym ydi hwn, cofia.

'Rwyt ti dy hun wedi dweud fod y peth bron yn amhosib, ond nid i heddwas sy'n gweithio yn y lle ac sydd â rhywbeth i'w guddio.

'Mae dau aelod o'r cyhoedd wedi dweud eu bod nhw wedi gweld car yr heddlu, a swyddog yn ymddwyn yn amheus, tua'r un amser ag roedd corff bodiwr yn gorwedd ar y rheilffordd ynghanol storm.

'A phwy ond swyddog fase'n gwybod symudiadau ceir yr heddlu ar unrhyw amser, ac yn gallu cael gafael ar ddillad a char heb fawr o drafferth? Mi fasai hynna'n egluro pam nad oes neb wedi amau dim dros y blynyddoedd, a sut mae o wedi llwyddo i ddianc bob tro.'

Roedd gan Dafydd fwy i'w ddweud, ond roedd yn amau ei fod wedi mynd yn rhy bell yn barod. Roedd Ifan wedi hanner codi ar ei draed gan bwyso mlaen yn fygythiol, ei wyneb yn galed.

'Mae'r cyfarfod yma drosodd. Wyt ti wedi bod yn cymryd nodiadau o'r hyn ddywedais i?' holodd, gan edrych ar Elen. 'Er dy les dy hun, dwi'n gobeithio nad wyt ti, nac o'r bore 'ma chwaith, achos chest ti ddim mo fy nghaniatâd i wneud y fath beth. Ac os bydd rhywun yn gofyn, 'dan ni heb gwrdd o gwbl. Dallt? Ac mi gymera i hwnna 'nôl, os gweli di'n dda,' meddai wrthi, gan gipio'r llyfr nodiadau o'i dwylo.

'Ifan!' meddai Dafydd. 'Stedda lawr am funud. Chdi dy hun ddywedodd nad wyt ti'n credu mewn cyd-ddigwyddiada fel hyn. A rhaid i chdi gyfadda fod hyn i gyd yn swnio'n goblyn o gyd-ddigwyddiad.

'Yr eglurhad symla ydi'r un cywir gan amlaf, yndê? Dyna be wyt ti wedi'i ddweud wrtha i droeon ar hyd y blynyddoedd. A rhaid i ti gyfadda y basa hynny'n gwneud lot o synnwyr.'

Gwthiodd Ifan ei bapurau'n flêr a chyflym i'w fag lledr du gan ei roi dan ei fraich a chodi oddi ar y sedd.

'Dwi'n gallu gweld rŵan sut wyt ti'n bwriadu achub dy hun, Dafydd, trwy gyhoeddi stori fel hon am heddlu llwgr,' meddai. 'Rown i'n ama dy fod ti mewn trwbwl ar y papur 'na – ac ymhobman arall hefyd – o farnu sut wyt ti wedi bod yn ymddwyn yn ddiweddar. Ond wnes i ddim meddwl y baset ti'n mynd mor bell â hyn, chwaith.'

'Na, na, ti wedi ngham-ddallt i . . .' dechreuodd Dafydd cyn i'w gyfaill ei ddistewi gan godi'i law fel petai'n atal traffig ar stryd.

'Gwranda, Dafydd. Ti'n edrach yn y lle anghywir, cred ti fi. A dwi'n gobeithio'n fawr na fydd 'na air o'r

cyhuddiada gwallgo hyn yn y papur yr wythnos yma –
er dy les di a lles y cwmni 'na ti'n gweithio iddo fo.

'Chei di mo fy llusgo i i lawr efo chdi. Dwi wedi trio
dy helpu di, ond ti'n mynnu chwalu popeth, yn dwyt?
Mi fasa'n gneud lles mawr i chdi yfed llai gyda'r nos a
chanolbwyntio ar dy waith. A chanolbwyntio ar ffeithia
solet hefyd, nid rhyw syniada gwallgo. Wyt ti mor
despret â hynna i gael dy stori fawr er mwyn mynd 'nôl
i'r ddinas fawr ac ennill parch teulu Anna? Ti wedi
methu unwaith, felly be sy'n dy argyhoeddi gymaint y
gallet ti lwyddo eilwaith? Mae'n amlwg fod Anna wedi
sylweddoli hynna erbyn hyn.

'Os oes gen *ti* unrhyw synnwyr,' ychwanegodd Ifan,
gan droi at Elen, 'mi fyddi'n ofalus iawn cyn gwrando
ar syniada gwallgo hwn.'

Trodd yn ei ôl at Dafydd. 'Dyma rybudd teg i ti. Dim
gair am y cyhuddiada gwirion yma wrth neb, neu difaru
wnei di. Cofia nad wyt ti ddim mewn unrhyw sefyllfa i
ddechra taflu cyhuddiada fel hyn o gwmpas. Mi
ddylsach chi adael y gwaith ditectif go iawn i ni. Rydan
ni'n gwybod be 'dan ni'n neud.

'A dwi'n cymryd yn ganiataol na fydd yr un o'r ddau
ohonoch chi'n deud gair wrth neb ein bod ni wedi
cyfarfod o gwbl. Cymerwch hynna fel rhybudd. Iawn?'

Cododd ar ei draed yn sydyn gan daro darn dwy bunt
ar y bwrdd. Gyda hynny cerddodd allan o'r caffi heb air
pellach gan gau'r drws yn glep ar ei ôl.

12. Y GWYLIWR

Eisteddodd Dafydd ac Elen yn syfrdan am funud ar ôl i Ifan eu gadael, gan syllu ar y bwrdd. Dafydd dorrodd ar y tawelwch.

'Aeth hynna'n dda, yn do?' meddai'n lletchwith, gan geisio swnio'n ddidaro. Chododd Elen mo'i phen, gan ganolbwyntio ar droi tudalennau ei llyfr nodiadau.

Sylweddolodd Dafydd fod staff y caffi yn syllu arnyn nhw. Dim rhyfedd, meddyliodd, ar ôl i Ifan gerdded allan mor sydyn. Diolch byth nad oedd o'n gwisgo'i lifrai!

Pwysodd 'nôl gan ledu'i fraich chwith ar hyd cefn y sedd yn ddioglyd a gorfodi'i hun i wenu ac ymddwyn yn ddidaro. Ond roedd wedi'i gynhyrfu'n lân gan ymddygiad Ifan a'r hyn a ddywedodd. Doedd o erioed yn cofio'i gyfaill yn dweud pethau tebyg o'r blaen. Roedd wedi'i frifo fod Ifan yn ei gyhuddo o'r fath beth.

'Mae'n rhaid ei fod o dan bwysau mawr yn y gwaith neu rywbeth, 'sdi. Dwi'n meddwl fod 'na lot o genfigen gan iddo gael y swydd ac yntau mor ifanc, dros bennau rhai oedd yno ers blynyddoedd,' meddai Dafydd.

'Ydi popeth yn iawn rhwng y ddau ohonoch chi?' gofynnodd Elen, gan edrych arno'n ofalus. 'Dwi'n gwybod nad ydi o'n ddim o fy musnes i, ond roedd Ifan yn flin iawn, iawn. Mor wahanol i'r bore 'ma. Mae o wastad wedi fy nharo i fel rhywun sy byth yn colli'i dymer.'

Ysgwyd ei ben wnaeth Dafydd, a dweud dim am ffrae'r noson cynt. Teimlai'n euog y gallai'r tensiwn personol rhwng y ddau ohonynt fod yn gyfrifol am hyn.

Oedodd am ychydig eiliadau cyn dweud, 'Na, fel arfer tydi o byth yn colli'i dymer. Ond dwi'n siŵr mai pwysau yn y gwaith sy'n gyfrifol. Mae'n siŵr ei bod yn sioc i sylweddoli fod ffeils pwysig ar goll, ac mae'n edrach yn reit debyg nad ydi o'n cael llawer o gefnogaeth gan ei benaethiaid chwaith.'

Taflodd gip i gyfeiriad y ddwy ferch, ond roedden nhw bellach wedi colli diddordeb yn eu cwsmeriaid. Canolbwyntiai'r ddwy nawr ar wneud cymaint o sŵn â phosibl wrth gyfri arian y til i geisio annog y ddau gwsmer olaf i adael.

'Be ti'n feddwl y dylsan ni neud rŵan?' holodd Elen. 'Dwi'n cytuno efo chdi fod stori dda yma, er gwaetha be mae dy ffrind newydd 'i ddeud. Tasat ti am roi'r gorau i'r stori, mi faswn i'n anghytuno, ond mi faswn i'n dallt.'

Atebodd Dafydd mohoni am funud, dim ond chwarae â'r llyfr nodiadau oedd o'i flaen. Roedd yn poeni fod Ifan wedi'i colli dymer ac yn amlwg yn flin iawn, ond doedd o ddim am roi'r gorau i'r stori. Credai'n gryf fod stori fawr yn eu dwylo. Ond roedd bygythiad y Golygydd yn fyw yn ei feddwl hefyd.

'Mi ddylsan ni gario mlaen efo'r stori,' cytunodd Dafydd. 'Does dim byd sicrach yn fy meddwl. Ond yn gynta, mi fasa'n syniad da mynd 'nôl i'r swyddfa i sgwennu'r straeon eraill yma a chadw Harri'n hapus. Mae o am fy ngwaed i'r dyddia yma, sdi.'

Gwelodd Dafydd yr olwg od ar wyneb Elen.

'Wel, mae o ar ôl fy swydd i beth bynnag! A deud y gwir, dwi ddim yn meddwl 'i fod o'n awyddus i nghyflogi i o gwbl, ond fi oedd yr unig Gymro Cymraeg gyda phrofiad o ohebu wnaeth fynd am y swydd.

'Beth bynnag am hynna. Ar ôl galw yn y swyddfa, beth am gwrdd i drafod sut i gario mlaen efo'r ymchwil? Basai'n dda gallu penderfynu hynny heno fel y gallwn ni gychwyn y peth cynta yn y bore, a gadael i Chris wybod be sy'n digwydd hefyd.'

Cytunodd Elen â'r cynllun er ei bod braidd yn betrusgar am gwrdd yn hwyr ar ôl gwaith. Ond dyna fasai hawsaf, gan nad oedd y ffrindiau y rhannai hi fflat â nhw yn hoffi Dafydd.

Cododd y ddau'n araf gan gasglu'r llyfrau nodiadau a cherdded yn hamddenol am y drws cyn gadael eu cwpanau a'r soseri ar y cownter metal.

'Diolch yn fawr i chi. Arbed tipyn bach o amser i ni, a ninna ar fin cau,' meddai'r ferch hynaf o'r ddwy yn bigog. 'Oedd popeth yn iawn efo chi? Achos roedd eich ffrind mewn brys mawr i adael, yn doedd? Gobeithio nad oedd ein coffi ni wedi troi arno fo. Mi fasa'n uffar o beth gwylltio plisman, yn basa?' heriodd, gan wenu'n llydan wrth i Dafydd ac Elen fynd allan drwy'r drws.

*   *   *

Gyrrodd y ddau eu ceir eu hunain i'r swyddfa, gan roi cyfle i Dafydd wrando ar negeseuon ei ffôn, oedd wedi bod yn ei boeni trwy grynu a chanu am yn ail yn ystod y cyfarfod yn y caffi.

Roedd tad Anna wedi gadael tair neges arall, ond doedd dim amynedd gan Dafydd o gwbl, felly wnaeth o ddim gwrando arnyn nhw cyn eu dileu. Canodd y ffôn eto a gwelodd enw 'Bennett adref' ar y sgrin. Penderfynodd anwybyddu hon hefyd.

Prynodd fag o *chips* a chyrri cyw iâr i'w fwyta yn y swyddfa tra oedd yn teipio'r straeon. Yr unig fendith o weithio'n hwyr oedd y gallai ffonio ffrindiau heb gael y Golygydd yn hofran uwch ei ysgwydd fel rhyw dderyn corff.

Roedd y glanhawyr yn gadael y swyddfa pan gyrhaeddodd yr ystafell newyddion, a phob un yn edrych yn ddu arno'n cerdded i fewn gyda bag o *chips* a chyrri drewllyd yn ei ddwylo.

'Os ti'n gollwng hwnna ar y llawr neu ar dy ddesg mi gei di ei llnau o dy hun, ti'n dallt? A dwi'n gwybod yn iawn lle ti'n eistedd, felly paid â meiddio gadael dim byd ar ôl,' meddai Liz Jones, arweinydd y glanhawyr, wrth iddi ddiflannu drwy'r drws gyda'i sigarét yn ei llaw yn barod i'w thanio.

Diffoddwyd rhai o oleuadau'r ystafell a doedd dim sŵn oni bai am glecian ysgafn teipio Elen yn y gornel. Roedd y lle'n llawn cysgodion, a meddyliodd Dafydd na fasai'n hoffi bod yma ar ei ben ei hun ganol nos. Dechreuodd ei feddwl grwydro wrth iddo syllu'n ddall ar ei sgrin.

Daeth Chris draw i ddwyn tipyn o'i fwyd a holi am waith y dydd ac edrych ar yr hyn roedd wedi'i ysgrifennu cyn belled. Cytunodd fod stori'r gyrrwr yn swnio'n gryf iawn a gwenodd yn llydan pan adroddodd Dafydd yr hanes.

Cytunai hefyd y dylsai'r ddau barhau â'u hymchwil i'r stori arall fore trannoeth cyn belled â bod y straeon eraill hefyd yn barod i'w rhoi ar ddesg y Golygydd ben bore.

'Mi fydd yn rhyfedd iawn heb Calvin, yn bydd? Dwi'n dal i hanner disgwyl ei weld o'n cerdded i fewn drwy'r drws yna unrhyw funud,' meddai Chris.

'Dwi'n gwybod yn union sut ti'n teimlo. Mae'n anodd credu iddo'i ladd ei hun fel'na heb unrhyw reswm.'

Roedd Dafydd bron â dweud wrth Chris am ei amheuon, ond gwyddai pa mor anhygoel oedden nhw heb unrhyw dystiolaeth bendant. A gwyddai fod Chris yn gymaint o ffrind ag yntau i Calvin.

'Y deyrnged orau y gallwn ei rhoi iddo, dwi'n meddwl, ydi trio cael cwpwl o straeon cryf yn y papur yr wythnos hon ac yna fe gawn ni gyfle go iawn i gofio amdano. Er mor anodd fydd hynny, dwi am geisio peidio meddwl am hyn tan ddiwedd yr wythnos.'

Tawelodd Chris am funud, cyn ychwanegu, 'Dwi'n edrach mlaen at glywed mwy o fanylion am y stori, ond os nad wyt ti'n meddwl y bydd hi'n barod at rifyn yr wythnos yma, gwna'n siŵr fod gweddill dy straeon yn dal dŵr,' meddai, gan adael y ddau yn teipio'n brysur. 'Paid anghofio, rŵan. Dwyt ti ddim eisiau rhoi yr un cyfle i Harri dy feirniadu di eto.'

*   *   *

Roedd yn hanner awr wedi deg erbyn i'r ddau gyrraedd fflat Dafydd a dechrau pori drwy'r llungopïau roedd Elen wedi'u gwneud o lyfrau nodiadau John Williams a hen straeon George Thomas.

Gan ei bod mor hwyr, sylwodd yr un o'r ddau fod rhywun arall yn cerdded tuag at y fflat yr un pryd, ond fe arhosodd y gwyliwr yn stond ar ôl eu gweld. Ar ôl iddyn nhw fynd i mewn aeth y gwyliwr 'nôl i eistedd mewn car Ford gwyn gan wylio ffenestr y fflat fel barcud.

'Mae'n ddrwg gen i, ond does 'na fawr o ddim byd yma alla i gynnig i ti yfed. Mae wedi bod braidd yn hectic dros y dyddia diwethaf. Ond galla i bicio i'r garej 24 awr os ti angen rhywbeth,' cynigiodd Dafydd, wrth gicio'r llanast o bapurau, poteli a llyfrau a addurnai lawr y fflat, o'r golwg dan y cadeiriau.

'Na, does dim angen i ti ac mae'n hwyr iawn hefyd. Beth am fynd drwy'r llyfra 'ma mor gyflym ag y gallwn ni, achos mae wedi bod yn ddiwrnod hir ac anodd,' meddai Elen gan daenu'r llyfrau a'r llungopïau ar fwrdd y gegin ar ôl i Dafydd daflu gweddillion swper y noson cynt yn y bin.

Yn y llyfrau nodiadau roedd dau drywydd amlwg. Yn gyntaf roedd cyfarfod John Williams gyda'r *Missing Persons Bureau* yn Lerpwl. O bosib gallai fod cofnod yno, neu, yn wyrthiol, aelod o staff a allai roi mwy o wybodaeth iddyn nhw am gefndir y cyfarfod.

Ond yr ail drywydd oedd y cryfaf. Cyfeiriai John Williams at stori a glywodd gan gyd-heddwas a fu'n gweithio am gyfnod ar strydoedd Lerpwl. Achos tebyg iawn i'r hyn oedd yn digwydd yn Nyffryn Conwy, sef ymosodiadau ar ddynion gan ddyn yn gwisgo lifrai.

'Edrych ar hwn. Mi gafodd dyn lleol ei arestio a'i gyhuddo o'r troseddau yma yn Lerpwl wyth mis cyn yr ymosodiad cyntaf yn y dyffryn y clywodd George Thomas amdano.

'Doedd yr heddwas ddim yn cofio'r enw, ond roedd yn gwybod i rywun gael ei gyhuddo ac iddo fynd i'r llys. Os felly, bydd enw a chyfeiriad yn siŵr o fod yn un o'r papurau lleol. Dyma'r union beth roeddan ni ei angen, Elen,' meddai Dafydd, yn dangos y cofnod iddi gan wenu.

'Gan fod y dyddiadau ganddon ni, mi ddylsai fod yn eitha hawdd cael hyd i unrhyw archif – dim ond gobeithio fod gwell trefn ar eu harchif nhw nag ar un heddlu Gogledd Cymru,' atebodd hithau.

'Lerpwl amdani, felly, y peth cyntaf yn y bore, i chwilio am y straeon 'ma. Dwi'n siŵr y cawn ni hyd i rywbeth yno, achos mae mwy nag un papur yn adrodd ar yr ardal,' meddai Dafydd. 'Mi wna i yrru i Lerpwl. Wyt ti am imi alw draw i dy nôl di, neu fasa hi'n haws cwrdd yn y swyddfa?' gofynnodd iddi.

'Beth am gwrdd yn y swyddfa am hanner awr wedi wyth? Os ydi hi'n glawio, efallai y basai'n sychach mynd yn fy nghar i,' atebodd Elen gan chwerthin, cyn edrych ar ei horiawr. 'Chredi di fyth,' ychwanegodd, 'ond mae hi'n hanner nos. Amser i fi fynd adre, dwi'n meddwl, neu mi fydda i fel cadach yn y bore.'

Casglodd ei phapurau at ei gilydd. 'A dwi ddim yn meddwl y basai dy gariad yn rhy hapus chwaith tasai hi'n dod adre rŵan a ngweld i yma yn ei chartre yng nghanol nos, gwaith neu beidio!' meddai'n chwareus.

Ddywedodd Dafydd yr un gair, dim ond gwenu arni

a'i hebrwng at y drws, gan addo cwrdd yn y swyddfa fore trannoeth.

'A phaid â bod yn hwyr chwaith, achos er fod y dyddiada ganddon ni, mae'n siŵr y bydd pentwr o ôl-rifynnau i ddarllen trwyddyn nhw,' rhybuddiodd hi.

Fel oedd yn digwydd bob tro y byddai rhywun yn cynnig cyngor iddo, teimlodd Dafydd ei wrychyn yn codi ac addawodd iddo'i hun y byddai yno'n gynnar i ddangos iddi ei fod yn gallu cadw at ei air.

Cerddodd Elen yn araf at ei char ac ni sylwodd ar ddim o'i hamgylch gan fod ei meddwl yn dal i chwyrlïo wrth feddwl am farwolaeth Calvin a'r cyfarfod rhyfedd gydag Ifan. Tybed oedd 'na gysylltiad rhwng yr hen straeon hyn ac ymchwiliad yr heddlu i'r *serial killers*, meddyliodd.

Ar y llaw arall, dim ond un peth oedd ar feddwl y gwyliwr yn y car gwyn wrth iddo syllu'n ofalus ar Elen. Roedd yn ddewis anodd. Un ai aros yma yn gwylio'r fflat neu ddilyn hon i weld ble roedd hi'n byw.

Ni sylwodd Elen ar y car yn ei dilyn yr holl ffordd i'r tŷ yn y wlad a rannai gyda'i ffrindiau. Sylwodd y gwyliwr ar y ceir eraill wedi'u parcio ar fuarth yr hen dŷ fferm a phenderfynodd aros tan y câi gyfle gwell. Gwnaeth nodyn o'r cyfeiriad cyn gadael. Dim ond dial oedd ym meddwl y gwyliwr.

13. Dan Amheuaeth

Blasai coffi'r bore yn felysach nag arfer i Dafydd. Doedd dim *hangover* ganddo, ac am unwaith roedd yn awchu am fynd i'r gwaith. Ni chafodd ddim i'w fwyta eto gan nad oedd torth na llefrith yn ei gegin. Yn ffodus, roedd wedi dechrau ar yr arfer o yfed ei goffi heb lefrith pan oedd yn Alaska; cwpanaid o goffi cryf, du fel y glo, gyda llwyaid o sigwr, oedd o'i flaen pan ganodd cloch y fflat.

Cyn ateb y drws, rhoddodd ei nodiadau am ddatblygiad y stori hyd yma, a'r cwestiynau oedd angen eu datrys y diwrnod hwnnw yn Lerpwl, yn ei fag.

Safai dau ddyn mewn cotiau glaw tywyll yno. Roedd un gam y tu ôl i'r llall a gwyddai Dafydd yn syth mai plismyn oedden nhw. Tybed oedd Ifan mor flin â hynny gyda nhw'r diwrnod cynt, a ddim yn ymddiried ynddyn nhw chwaith?

'Bore da. Dafydd Smith?' gofynnodd yr un ar y dde wrth i Dafydd nodio'i ben. Cyfeiriodd yr un oedd newydd siarad at ei gydymaith.

'Dyma DC Jones, a fi ydi DC John Huws. Ydi hi'n gyfleus i ni gael gair gyda chi, Mr Smith? Ychydig funudau yn unig o'ch amser sydd ei angen arnon ni.'

Nodiodd Dafydd ei ben eto gan edrych ar ei oriawr wrth i'w wyneb grychu mewn penbleth.

'Rydan ni'n ceisio dod o hyd i Miss Anna Bennett; mae hi'n byw yma, yn ôl be rydan ni'n ddallt.'

Teimlai Dafydd fel mudan wrth nodio'i ben unwaith eto mewn penbleth.

'Chi ydi ei chariad hi, a rydach chi'n rhannu'r fflat yma gyda Ms Bennett ers bron i flwyddyn.' Aeth DC Huws yn ei flaen heb ddisgwyl am ateb. 'Ydi hi yma bore 'ma?'

Roedd Dafydd bron yn falch o gael ysgwyd ei ben yn lle dal ati i nodio fel clown.

'Allwch chi ddweud wrthan ni lle mae hi, felly? Mi fasa rhif ffôn neu gyfeiriad yn fwy na digon. 'Dan ni ddim eisiau eich cadw chi'n rhy hir mor fore â hyn.'

'Nag oes. Sgen i ddim rhif iddi, a deud y gwir, achos dwi ddim rhy siŵr ble mae hi. Genod, 'de!' Ceisiodd Dafydd swnio'n ddidaro. 'Ond pam rydach chi'n chwilio amdani? Ydi hi'n iawn? Ydi hi wedi gwneud rhywbeth o'i le?'

Teimlodd ei stumog yn crebachu'n sydyn wrth feddwl mai newyddion drwg oedd ganddyn nhw.

'Na. *Routine enquiries* yn unig 'di rhain. Does dim byd wedi digwydd, a chyn belled ag y gwyddon ni, mae popeth yn iawn. Ar hyn o bryd. Ond mi rydan ni'n awyddus iawn i siarad efo hi cyn gynted â phosib. 'Dan ni'n dallt nad ydi hi wedi cysylltu hefo neb ers rhai dyddiau?'

Ysgwyd ei ben wnaeth Dafydd.

'Os ydi hi'n byw yma, pam nad ydach chi'n gwybod ble mae hi ar hyn o bryd?' gofynnodd DC Jones yn ddistaw galed.

'Fel'na mae hi weithiau. Mi aeth allan dros y penwythnos ac rown i'n meddwl ei bod wedi mynd i aros efo ffrind, neu ei theulu.' Sylwodd Dafydd yn syth ar ei gamgymeriad. 'Ond mi wnaeth ei thad ffonio yma nos Lun, wrth gwrs, felly tydi hi ddim yno. Ac fel y dywedais i wrtho fo, dwi ddim yn gwybod ble mae hi ar hyn o bryd.'

'Esgusodwch fi, ond faint mwy mae hyn am bara? Dwi'n gorfod mynd i'r gwaith, ac mi rydw i ar gryn dipyn o frys, a deud y gwir.'

Er ei waethaf, roedd Dafydd yn dechrau poeni. Pam fod yr hcddlu yma'n chwilio am Anna ac yn ei holi o mor drylwyr? DC Huws atebodd.

'Rydach chi'n berffaith rhydd i fynd, *am y tro*, wrth gwrs. Ond mi rydan ni angen atebion i'n cwestiynau, a'r cynhara'n y byd y cawn ni'r rheiny, yna fydd dim rhaid eich holi eto. Os na allwn ni gwblhau'r ymholiadau yn ystod y bore, yna mi fydd rhaid i ni alw heibio'ch gwaith i'ch holi'n nes mlaen.'

Gwyddai Dafydd yn iawn nad bygythiad gwag oedd hyn. A'r peth olaf dan haul oedd ei angen arno ar hyn o bryd oedd rhoi mwy o esgus i Harri fynd ar ei ôl.

'Well i chi ddod fewn felly, ond bydd rhaid i fi ffonio'r swyddfa'n gynta i egluro pam y bydda i'n hwyr.'

Eglurodd yn frysiog wrth Elen na allai fynd gyda hi i Lerpwl, ond y dylai hi ddilyn y llwybrau y trafododd y ddau y noson cynt. Addawodd egluro popeth wrthi y noson honno, a diolchodd yn ddistaw iddi am beidio â gwneud môr a mynydd o'r newid yn eu trefniadau.

Tra oedd ar y ffôn, cerddodd DC Huws yn hamddenol o gylch y stafell fyw gan fwrw golwg ar ambell lyfr neu CD. Fe agorodd y llenni yn y stafell fyw.

Arhosodd DC Jones yn y gegin am ychydig cyn gofyn a gâi fynd i'r stafell molchi. Cyfeiriodd Dafydd ef i'r stafell. Ond chlywodd o mo wich arferol caead y tŷ bach yn cael ei godi, dim ond sŵn y cwpwrdd yno'n cael ei agor. Gadawodd neges ar ffôn Chris yn egluro y basai yn y swyddfa y bore hwnnw ac mai Elen oedd yn mynd i Lerpwl. Pan ddaeth DC Jones yn ei ôl, roedd Dafydd yn rhoi'r ffôn 'nôl yn ei grud.

'Fyddwn ni ddim yn hir, Mr Smith. Dim ond cwpwl o gwestiynau bychan sydd gynnon ni ar ôl. Cymerwch sedd.'

Gorchymyn yn hytrach na chais oedd hwn. Arhosodd yr heddwas ar ei draed. Teimlai Dafydd ei fod mewn lle cwbl ddieithr ac nid yng nghegin ei gartref ei hun.

'Ar ba delerau rydach chi a'ch cariad y dyddiau yma? Ydi popeth yn iawn rhyngddoch chi?' gofynnodd DC Jones yn ddidaro.

'Wel, fyny a lawr, dach chi'n gwybod. Ambell ffrae o dro i dro, mae'n siŵr, ond mae popeth yn iawn ar y cyfan. Digon tebyg i bawb arall, am wn i.'

Doedd Dafydd ddim yn gweld pam y dylai rannu manylion ei fywyd personol gyda'r ddau ddieithryn yma. Tybed ai Ifan oedd yn gyfrifol am yr ymweliad hwn, meddyliodd eto. Gwelodd aeliau DC Jones yn codi'n awgrymog.

'Felly. Diddorol eich bod chi'n dewis dweud hynny. Gan nad oedd neb yma ddoe fe gawson ni air gyda rhai o'ch cymdogion. Mi wnaethon nhw ddweud wrthon ni fod sŵn dadlau a ffraeo mawr wedi bod yma bnawn a nos Sadwrn diwetha.

'Oes ganddoch chi rywbeth i'w ddweud wrthon ni am hynna ta, Mr Smith, neu ydi ffraeo fel'na yn rhywbeth mae pawb yn ei wneud?' gofynnodd â thinc gwatwarus yn ei lais.

Roedd DC Huws yn y gegin hefyd erbyn hyn, yn sefyll wrth y drws, ym mhen arall yr ystafell i'w gydheddwas.

Teimlai Dafydd eu bod yn ei amau o rywbeth, ond doedd o'n dal ddim yn dallt pam eu bod yn ei holi fel hyn. Ceisiodd gofio bopeth am y cweryla, ond roedd ei feddwl fel gogor, diolch i'r gwin a yfodd cyn ac yn ystod y ffrae.

'Do, mi gawson ni ddadl, ond tydi hynna ddim yn rhy anghyffredin mewn perthynas, nadi? Dwi'n ymddiheuro os oeddan ni'n codi'n lleisia. Ond choelia i fawr eich bod yn fy holi am sŵn ffraeo. Wnewch chi egluro, os gwelwch yn dda, pam eich bod yn chwilio amdani?'

Cymerodd DC Jones arno nad oedd wedi clywed y cwestiwn, gan syllu'n ofalus ar Dafydd.

Sylwodd fod DC Huws yn astudio set o gyllyll cig a chyllyll bara gloyw o Japan oedd yn hongian ar y wal. Anrheg oedd y cyllyll gan rieni Anna pan symudodd y ddau i Lundain; roedd y leiaf fel fforc *cocktail* a'r fwyaf yn debycach i gleddyf *Samurai* nag i declyn cegin.

'Oedd y ffrae yma ynghylch rhywbeth penodol, neu ydi o'n rywbeth rheolaidd rhyngddoch chi? Yn ôl eich cymdogion, mae ffraeo fel hyn wedi bod yn digwydd yn aml iawn yn ddiweddar.'

Roedd Dafydd wedi cael digon erbyn hyn, ac wedi adfeddiannu tipyn o'i hunanhyder, er gwaethaf yr holi.

'Cyn i ni fynd dim pellach, wnewch chi plîs ateb fy nghwestiwn i? Dwi wedi bod yn amyneddgar iawn efo chi hyd yma. Alla i ofyn i chi beth rydach chi'n neud yma yn y lle cynta? Oes 'na rywbeth wedi digwydd i Anna? Dwi'n meddwl fod gen i hawl i wybod.'

'Mi gysylltodd ei thad â'r heddlu, Mr Smith, gan ei fod yn poeni nad oedd wedi clywed ganddi ers rhai dyddiau, a dyw hi heb ateb 'run o'i negeseuon. Mae hynny'n anarferol iawn, meddai. Mae'n poeni amdani.'

Torrodd DC Huws ar draws ei gyd-heddwas.

'Pam wnaethoch chi feddwl fod rhywbeth wedi digwydd iddi, Mr Smith? Dach chi'n amau ei bod hi mewn trwbwl?'

'Wel, dwi heb glywed dim ganddi ers y penwythnos, chwaith. Does ganddi ddim gymaint â hynna o ffrindiau yn yr ardal yma a tydi hi 'rioed wedi gwneud rhywbeth fel hyn o'r blaen.'

Tro DC Jones oedd hi i gymryd yr awenau. Wrth holi Dafydd, roedd y ddau'n cerdded yn araf 'nôl a mlaen rhwng dwy gornel y gegin gan orfodi llygaid Dafydd i neidio o un i'r llall. Roedd y ddau'n ei atgoffa o ddau lew a welodd ar y teledu yn cylchu eu prae.

'Alla i ofyn ichi eto, am beth roeddach chi'n ffraeo? Rhaid ei fod yn rywbeth o bwys gan ichi ffraeo am ddwy noson yn olynol.'

Roedd DC Jones wedi peidio siarad am eiliad gan edrych i fyw llygaid Dafydd.

'Dim ond yr arferol wyddoch chi,' atebodd Dafydd. 'Pres yn bennaf, a lle allen ni fforddio symud i fyw. Roedd Anna eisiau symud oddi yma, fel mae ei thad yn siŵr fod wedi dweud wrthoch yn barod, ond do'n i ddim yn meddwl y gallen ni fforddio hynny. Prin fedru fforddio'r morgais ar y fflat yma rydan ni.'

'Mi ddywedodd eich cymdogion fod dipyn o weiddi wedi bod yma yn hwyr nos Wener hefyd. Ocdd un o'r ddau ohonoch wedi bod yn yfed o gwbl y noson honno?' holodd Jones.

'I fod yn onest, dwi ddim yn cofio'n iawn. Roeddan ni wedi bod yn yfed tipyn, fel mae rhywun ar y penwythnos, wyddoch chi, a dwi ddim yn siŵr a wnaeth hi ddweud lle'r oedd hi'n mynd ai peidio.'

'Be dach chi'n feddwl, dach chi ddim yn cofio'n iawn? Ydach chi'n dioddef o be maen nhw'n alw yn *alcoholic blackouts*, Mr Smith?' meddai DC Huws.

'Nadw siŵr. Ylwch, mi gawson ni ffrae . . .'

'Mae'r holl ffraco 'ma'n swnio'n reit *heated*, Mr Smith. Ydach chi eriocd wedi'i tharo hi yn eich tymer a chithau'n feddw? Mae'n rhywbeth hawdd iawn, a chyffredin, i'w wneud mewn sefyllfa o'r fath.' Yr un dôn watwarus yna eto gan DC Jones.

'Naddo wir! Erioed! Pa hawl sydd ganddoch chi i ofyn y fath beth imi? Pa dystiolaeth sydd . . .'

'Wnaeth hi adael nodyn o unrhyw fath yn dweud lle'r oedd hi'n mynd, neu rif ffôn o bosib?' holodd DC Huws.

'Na. Dim byd fel'na. Dwi wedi deud hynna wrthoch chi'n barod.'

'Mae'r ffraeo 'ma'n swnio'n bur ddifrifol. Oedd 'na ryw achos arall y tu ôl i hyn? Oedd hi o bosib yn gweld rhywun arall? Rydan ni i gyd yn gwybod sut y gall teimladau rhywun ffrwydro dan amgylchiadau o'r fath.'

'Na, yn bendant na! Tydi hi erioed wedi gwneud dim byd o'r fath, a dwi erioed wedi'i hamau hi chwaith.'

'Ond a oedd *hi* yn eich amau *chi*, Mr Smith?' gofynnodd Huws yn ddistaw slei.

'Nac oedd siŵr. Be sy'n gwneud ichi feddwl y fath beth gwirion?' Baglai Dafydd dros ei eiriau, ac roedd yn teimlo'i wyneb yn gwrido ar unwaith wrth sylwi ar y ddau yn edrych ar ei gilydd yn gyflym.

'Faint oeddach chi wedi'i yfed nos Sadwrn diwethaf?' gofynnodd DC Jones wrth i Dafydd geisio rheoli'i deimladau.

'Dwi ddim yn siŵr,' dechreuodd Dafydd, cyn gweld wynebau'r ddau yn edrych yn galed arno. Ychwanegodd yn frysiog, 'Tua pum peint dwi'n meddwl, a photel o win ar ôl dod 'nôl. Ond rown i wedi cael cinio da ac mi ges i *takeaway* ar y ffordd adref hefyd. Bydda i'n magu bol os na fydda i'n ofalus!'

Doedd dim rhithyn o wên ar wyneb yr un o'r ddau heddwas. Sylweddolodd Dafydd nad oedd unrhyw bwrpas ceisio bod yn ysgafn gyda'r ddau yma. Fe'i gwelodd yn edrych yn awgrymog ar ei gilydd.

'Diolch ichi, Mr Smith. Dyna ddigon am y tro, ond os oes ganddoch chi unrhyw gynlluniau i adael y wlad, gadewch i ni wybod yn gyntaf. Rhag ofn i rywbeth arall godi'i ben, a tan i ni siarad gyda Ms Bennett. A gadewch i ni wybod os y clywch chi unrhyw beth ganddi,' meddai DC Huws.

'Diolch am eich amser, Mr Smith,' ychwanegodd DC Jones. 'Dwi'n siŵr y gallwch chi werthfawrogi'r ffaith mai gwneud ymholiadau rydan ni ar ran Mr Bennett, sy'n naturiol yn poeni am ei unig ferch,' meddai DC Jones.

Fe groesodd feddwl Dafydd yn sydyn fod dweud eu bod yn gwneud ymholiadau ar ran Mr Bennett yn swnio'n rhyfedd iawn. Ond roedd yn falch eu bod ar fin gadael llonydd iddo.

Aeth y ddau am y drws gan adael yr un mor ddisymwth ag y cyrhaeddon nhw.

'Mi wna i, DC. Mi alla i addo y gwna i hynny,' meddai Dafydd wrth gau'r drws yn falch y tu ôl i'r ddau. Sylwodd fod ei ddwylo'n crynu a'i gefn yn chwys oer drosto.

*   *   *

Wedi derbyn neges gryptig Dafydd, aeth Elen yn syth i Lerpwl. Roedd wedi cael gafael ar rif ffôn yn Lerpwl ar gyfer y *Missing Persons Bureau*. Galwodd nhw cyn cychwyn ar ei thaith, a dywedodd y gŵr a atebodd y ffôn fod croeso iddi alw draw, er nad oedd yn rhy siŵr faint o help y gallai ei roi gyda'r ymchwiliad.

Roedd yn amlwg y byddai'r swyddfa'n croesawu unrhyw sylw yn y wasg allai helpu eu gwaith. Ond teimlai Elen ym mêr ei hesgyrn y byddai dilyn y stori hon yn troi i fod yn siwrnai seithug.

Lai na dwyawr yn ddiweddarach, roedd hi'n parcio

ddwy stryd oddi wrth y swyddfa. Lwcus ei bod yn adnabod strydoedd canol y ddinas fel cefn ei llaw ar ôl treulio blwyddyn yn y coleg yno, cyn gadael a mynd i Fangor.

Roedd wedi egluro'n fras dros y ffôn ei bod yn gwneud stori ar faint o bobl oedd yn mynd ar goll yng ngogledd Cymru a Lloegr bob blwyddyn a pha mor debygol oedd hi eu bod wedi ffoi o'r wlad trwy deithio ar y rheilffordd a'r llong fferi i Ddulyn.

Wrth y ddesg flaen roedd dynes ganol oed yn darllen cylchgrawn ffasiwn. Y tu ôl iddi, wrth ddesg arall, eisteddai dau ddyn canol oed, a'r talaf o'r ddau wrthi'n gwisgo'i got a chodi'i fag oddi ar y ddesg wrth i Elen ei chyflwyno'i hun.

Swyddfa digon llwm oedd hi. Buasai angen cot o baent ar y waliau fu unwaith yn wyn, oni bai am y myrdd o bosteri a orchuddiai'r pedair wal. Roedd rhai wedi'u printio'n dwt mewn lliw, eraill wedi'u sgwennu mewn beiro neu ffelt-tip drwchus, ac eraill yn llungopïau du a gwyn o ansawdd gwael.

Tystiai'r cwbl lot i fyddin o bobl oedd ar goll. Roedd un peth yn gyffredin ymhob stori – roedd pob un wedi diflannu un diwrnod heb air o eglurhad. Ar bob desg roedd pentyrrau o bapurau, a'r rheiny'n siglo bob tro y symudai rhywun eu cadeiriau.

'Dewch draw, mi allwch chi eistedd fan hyn. Mae'r pennaeth ar ei ffordd adref. Does 'na fawr o le yma, fel y gwelwch chi, na fawr o arian chwaith.' Colin Hill, rheolwr y swyddfa a'r gŵr siaradodd gyda hi ar y ffôn, a'i cyfarchodd.

'Mae'r erthygl yn swnio'n ddiddorol, ond dwi ddim yn siŵr sut y galla i eich helpu, chwaith,' meddai gan eistedd 'nôl ar ei sedd wrth i honno wichian ei phrotest.

'Angen dipyn o wybodaeth gefndir ydw i a deud y gwir,' atebodd Elen. 'Eisiau rhyw fath o syniad faint o bobl sydd wedi bod yn mynd ar goll dros yr ugain mlynedd diwethaf yn y rhan yma o'r wlad, yn arbennig pobl ifanc. Oes 'na gynnydd wedi bod, a pha mor debygol dach chi'n meddwl ydi hi fod nifer o'r rhain yn dewis gadael eu bywydau ar ôl, a dianc trwy Ogledd Cymru?

'Mi ges i'r syniad wedi darllen stori am rywun ddiflannodd dros ugain mlynedd yn ôl, ac eisiau cymharu'r ddau gyfnod ydw i a deud y gwir.'

Roedd Elen wedi paratoi ei chwestiynau'n ofalus wrth deithio yno. Teimlai'n euog braidd wrth ddweud celwydd noeth ond, fel Dafydd, doedd hi ddim am gychwyn panig heb angen.

'Arhoswch funud,' torrodd yr ysgrifenyddes ar ei thraws, 'roedd yna Richard Smythe yn gweithio yn y swyddfa 'ma pan ddois i yma i ddechrau. Fe adawodd y swydd o fewn misoedd imi gychwyn, ond roedd o'n bendant yn gweithio yma. Alla i ddim cofio pwy yn union welodd o – mae 'na gymaint o fynd a dod yma. Falla y basa dyddiaduron y swyddfa'n dangos hynna.' Aeth i chwilio, a dod 'nôl mewn hanner awr gyda'r dyddiadur am y flwyddyn honno.

Cofnod byr, moel oedd ar y dudalen yn cadarnhau i Richard Smythe gyfarfod â DC J. Williams o Heddlu Gogledd Cymru ar y bore hwnnw. Oddi tano roedd wedi ychwanegu,

'*Official police inquiry into missing persons in North Wales, specifically along the coast road corridor. Definite increase in the reports of missing travellers in the previous twelve months.*'

Doedd dim byd arall yn y cofnodion, ond rhaid fod John Williams yn credu fod hyn yn bwysig, gan iddo gymryd diwrnod o wyliau i deithio yma a dweud celwydd gan iddo nodi ei fod ar ymchwiliad cyhoeddus.

Bellach roedd yn un o'r gloch, ac fe dreuliodd Elen y prynhawn yn chwilio am swyddfeydd y ddau bapur newydd lleol a threfnu gyda'r llyfrgellwyr fod archif y misoedd hynny ganddyn nhw.

Chafodd Elen ddim cystal hwyl gyda Llys yr Ynadon, ond doedd hynny ddim yn syndod iddi. Roedden nhw'n gwrthod datgelu unrhyw fanylion gan nad oedd wedi gwneud cais swyddogol. Buasai hynny'n cymryd hyd at bythefnos i'w brosesu, meddai'r ddynes sych oedd yn gwarchod y ddesg.

Cynllun Elen a Dafydd oedd chwilio yno am straeon am yr ymosodiadau yn y papurau lleol o amgylch y dyddiadau oedd ganddyn nhw.

Buasai achosion o'r fath yn siŵr o fod wedi cael sylw, ac efallai y gallen nhw ddod o hyd i dystion neu gymdogion o'r ardal fyddai'n cofio rhywbeth.

Roedd yn bedwar o'r gloch erbyn i Elen gwblhau'r gwaith trefnu, a phenderfynodd fynd adref gan ei bod am alw heibio'r ddynes a honnodd iddi weld car yr heddlu ar yr A55 ar y nos Sul, i'w holi eto am ddisgrifiad manwl o'r gyrrwr a'r car.

*   *   *

146

Pan gyrhaeddodd Dafydd y swyddfa, roedd yn dal i deimlo'n sâl ar ôl cael ei holi gan yr heddlu. Penderfynodd nad oedd am sôn gair wrth neb am yr ymweliad.

Ond teimlai'n well o lawer pan ddywedodd Chris fod Harri'n debygol o arwain gyda'r stori am y gyrrwr trên. Siaradodd gydag Elen yn Lerpwl, a theimlai'n eithaf gobeithiol wedyn y bydden nhw'n cael mwy o dystiolaeth y diwrnod wedyn yn archif papurau lleol Lerpwl.

Treuliodd weddill y diwrnod yn astudio'r hen ffeil a nodiadau John Williams ac yn sgwennu ambell stori fach arall am newyddion cymunedol, a threfnu lluniau o blant lleol mewn mabolgampau. Roedd y Golygydd wrth ei fodd gyda'r rheiny, gan ei fod yn siŵr fod rhiant pob un am brynu o leiaf un copi o'r papur.

Ar ddiwedd y diwrnod gwaith, aeth allan gyda Chris i ddathlu fod y pwysau wedi codi rhywfaint oddi arno. Roedd batri ei ffôn yn fflat, ac yn y rhialtwch fe anghofiodd iddo addo ffonio Elen i egluro am y bore hwnnw. Aeth yn noson hwyr, a bu'n rhaid iddo gysgu ar y soffa yng nghartref Chris, oedd yn agos at y swyddfa.

Y tu allan i'w fflat ym Mangor, roedd y gwyliwr wedi parcio unwaith eto yn y car gwyn yn disgwyl yn amyneddgar, ond yn flin. Gwelodd Elen yn galw draw, ond chafodd hi ddim lwc wrth guro'r drws chwaith.

Mi gei di dalu am hyn, meddyliodd y gwyliwr.

14. ARCHIFYDD

Ddywedodd Elen 'run gair yn ystod hanner awr cyntaf y daith, ac roedd Dafydd yn hynod ddiolchgar am hynny. Cafodd lonydd i fwydo yn ei hunandosturi a'i salwch tra crensiai hi'r gêrs a rhegi'r tywydd a gyrwyr eraill dan ei gwynt.

Disgynnai'r glaw yn donnau swnllyd trwm ar y ffordd a'r ffenestr nes ei bod yn anodd gweld y car o'u blaenau ambell waith. Ceisiai Dafydd yfed dŵr a *Lucozade* am yn ail, ond roedd ei stumog wedi crebachu a theimlai'n waeth bob munud.

Welai o ddim bai ar Elen, chwaith. Roedd o wedi ymddwyn fel clown unwaith eto. Oni bai ei fod yn nhŷ Chris, buasai hi wedi gorfod mynd ar ei phen ei hun i Lerpwl eto gan fod batri ei ffôn yn fflat ac roedd wedi anghofio ei ffonio hi'r noson cynt.

Ciciodd ei hun unwaith eto am fod mor ddwl. Oedd o fyth am ddysgu'i wers, neu oedd o am ddal i wneud ffŵl ohono'i hun ac ailadrodd yr un hen gam-gymeriadau dro ar ôl tro ar ôl tro?

Gwyddai iddo fod yn wirion yn mynd allan i yfed gymaint i ddathlu diwrnod eithaf da yn y gwaith. Byddai unrhyw un ag ychydig o synnwyr cyffredin wedi cael noson gynnar a pharatoi ar gyfer stori fawr – o bosib y fwyaf eto.

Er ei fod yn gwybod yn iawn nad oedd ei swydd yn ddiogel, roedd wedi mynd allan o'i ffordd i wneud pethau'n anodd iddo'i hun eto. Treuliodd noson arall ar soffa ac roedd yn rhaid iddo gwisgo'r un dillad â'r diwrnod cynt. Edrychai'n debycach i drempyn nag i ohebydd ifanc.

Bob tro roedd yn dod yn agos at gael ei fywyd ar echel wastad, roedd yn gwneud rhywbeth hollol dwp a chael ei hun mewn trwbl eto. Pe byddai'n onest ag ef ei hun, fe gyfaddefai mai dyna oedd un o'r rhesymau pam iddo fethu yn Llundain.

Hawdd oedd credu i'w stori fawr gyntaf fod yn ffliwc – ofnai hynny'n fwy na dim – ac wrth yfed gallai ei dwyllo ei hun nad oedd angen sgwennu neu daclo mwy o straeon mawr, anodd.

Gallai fod wedi defnyddio'r esgus fod y straen o gael ei holi gan yr heddlu – oedd yn amlwg yn credu ei fod yn cuddio rhywbeth – wedi'i wthio i fynd allan i yfed i anghofio. Ond roedd wedi dewis peidio dweud wrth neb am hynny gan fod gormod o gywilydd arno.

Am y canfed tro, addawodd iddo'i hun na fyddai'n gwneud yr un camgymeriad eto, ond gwyddai y byddai angladd Calvin Jac ar y dydd Sadwrn yn achlysur anodd iddo.

'Wel? Wyt ti am ddeud rhywbeth, neu jest eistedd yn fan'na yn griddfan ac yn teimlo'n sori drostat dy hun?' gofynnodd Elen o'r diwedd, yn amlwg wedi cael llond bol. 'Os nad wyt ti'n rhy siŵr lle i gychwyn, beth am ymddiheuriad neu dri, ac wedyn mi ddyweda i wrthat ti sut hwyl ges i ddoe.'

Tynnodd Dafydd anadl ddofn a mynd amdani.

'Mae'n ddrwg gen i am bora 'ma, ac am beidio dy

ffonio di neithiwr. Doedd dim byd arall y gallwn i fod wedi'i neud bore ddoe. Roedd y to wedi bod yn gollwng ac roedd pobl y fflat islaw wedi dod draw yn ddirybudd efo'u cynrychiolydd yswiriant ac roedd yn rhaid i mi eu gadael nhw i fewn gan fod gymaint o drafferth wedi bod.

'Pum munud o rybudd ges i ganddyn nhw. Rown i'n meddwl y byddai'n well i ti fynd yn syth i Lerpwl yn lle gwastraffu amser yn disgwyl amdana i. O leia mi fues yn y swyddfa wedyn yn gwneud mwy o ymchwil a sgwennu straeon i gadw'r hen Harri'n hapus.

'A wedyn neithiwr mi es i allan i yfed efo Chris, yn rhannol i siarad am Calvin ond hefyd i geisio lleihau'r pwysau. Tydi hynna ddim yn f'esgusodi i o bell ffordd, ond dwi'n gobeithio'i fod o'n egluro rhyw ychydig beth bynnag.'

Roedd Dafydd wedi adrodd yr un bregeth droeon yn y gorffennol, ac addawodd mai dyma'r tro olaf.

Nodiodd Elen ei phen gan hanner gwenu cyn dweud mewn llais oedd dipyn meddalach, 'Dylsat ti edrach ar ôl dy hun yn well, 'sdi. Dwyt ti ddim yn *Superman*, ac os nad wyt ti'n ofalus mi fyddi'n gneud gwaith Harri o gael gwared arnat ti lot yn haws.

'Beth bynnag. Dwi'n derbyn dy ymddiheuriad di, felly rho'r gora hefyd i edrych fel ci bach wedi cael row. Ti eisiau clywed sut aeth pethau ddoe yn Lerpwl?'

Nodiodd Dafydd ei ben ac aeth Elen yn gryno dros ddigwyddiadau'r diwrnod cynt.

'Felly mae gynnon ni gwpwl o bobl i fynd ar eu hôl, sy'n dipyn o dasg o gofio gymaint o amser sy wedi mynd heibio ers y digwyddiadau yma. A hefyd rydan ni angen cael golwg ar archifau'r papur arall. Roedd yr archifydd holais i ddoe yn meddwl 'i fod o'n cofio am ba straeon rown i'n sôn.'

Teimlai Dafydd rywfaint yn well o glywed hyn ac o wybod bod Elen wedi maddau iddo.

*　　　　*　　　　*

Yn swyddfa'r papur lleol, y *Liverpool Herald*, roedd yr archifydd wedi gosod y cofnodion yn barod ar *microfiche* mewn ystafell hynafol yn llawn o bren tywyll, ac arogl hen bapur yn pydru. Cedwid y papurau yno hefyd, ond roedd y rheiny i gyd ar *microfiche* bellach i hwyluso gwaith ymchwil.

Simon Rayner oedd enw'r archifydd, gŵr bychan boliog gyda sbectol hanner-lleuad yn gorffwys un ai ar flaen ei drwyn neu'n hongian ar gadwyn aur ocdd am ei wddf. Roedd wedi byw yn yr ardal ers blynyddoedd. Gadawodd Dafydd ac Elen yn pori trwy'r hen bapurau.

Roedd John Williams wedi cyfeirio at achosion tebyg a ddigwyddodd yn Lerpwl yn ystod misoedd cyntaf 1970. Ar ôl dwy awr o chwilio fe gawson nhw afael ar yr adroddiadau, ond digon moel oedd y rhain o ran manylion gan fod rhywun wedi cael ei arestio. Roedd y person hwnnw dan ddeunaw oed, felly roedd y papur yn cael ei rwystro rhag cyhoeddi'r enw.

Gofynnodd Elen yn ei llais mwyaf cyfeillgar i'r archifydd a oedd unrhyw un fyddai'n gallu siarad â'r ddau ohonyn nhw am y cyfnod dan sylw.

Tynnodd Simon ei sbectol oddi ar ei drwyn. Crafodd hynny o wallt oedd ar ei ben yn galed, cyn enwi cynohebydd ar bapur lleol.

'Mi wna i ffonio'r hen Ted Thornycroft rŵan,' meddai. 'Os bydd rhywun yn gwybod, fo 'di'r un mwyaf tebygol.'

*   *   *

Tŷ teras oedd cartref Ted Thornycroft, ac o'r eiliad y cerddodd y ddau i mewn i'w gartref roedd yn amlwg mai fo fyddai ffynhonnell unrhyw wybodaeth leol. Doedd dim golwg o'r papur wal dan doreth o luniau, posteri a mapiau o'r ardal.

Roedd Ted wedi ymddeol fel gweithiwr dociau ers pymtheg mlynedd, lle bu hefyd yn arweinydd undeb trwy gydol ei yrfa. Gwisgai fwstásh blêr tebyg i un Stalin, a hwnnw'n prysur fritho fel ei wallt brwsh llawr. Hen siwmper las a llwyd o siop *Army and Navy* oedd yn ei gadw'n gynnes.

'Dwi'n falch iawn nad ydw i'n gorfod delio efo'r giwed ddi-asgwrn-cefn yna'r dyddiau hyn,' oedd y farn a gynigiodd, heb i'r un o'r ddau ofyn amdani, am y blaid Lafur a'r rhan fwyaf o'r arweinwyr undeb presennol.

'Mae gan y diawled yna fwy o ddiddordeb mewn cael eu gweld ar y teledu a'r radio a phluo'u nyth eu hunain a cadw'r bosys yn hapus er mwyn trio llyfu tin i gael medal fach MBE neu OBE tua diwedd eu gyrfa. Dylsen nhw ailenwi'r rheiny yn Fedalau am Fradychu'r Gweithwyr.'

Mi gymerodd dipyn o ymdrech ar ran Dafydd ac Elen i'w lywio oddi ar ei hoff bwnc i sôn am bwnc arall oedd yn agos at ei galon, sef hanes yr ardal a'r bobl leol.

Dechreuodd draethu mai cynllwyn gan Thatcher a'i chriw oedd terfysgoedd Toxteth, ac er mor ddifyr oedd ei areithio yn y parlwr rhaid oedd i Dafydd ofyn iddo yn y diwedd am yr achosion. Roedd Ted gwybod yn syth at beth roedden nhw'n cyfeirio.

'Gwybod am y stori yna? Pwy allai anghofio'r fath beth? Mad Dixon o Fairwater Green oeddan ni'n ei alw fo. Hogyn anghynnas fuodd o erioed.

'Eto, chafodd y cradur fawr o gyfla a deud y gwir, gan i'w dad redeg i ffwrdd gyda'i ysgrifenyddes, medden nhw, a'i adael yn blentyn bach ar drugaredd ei fam. Dial ar ei dad trwyddo fo oedd hi, mae'n siŵr. Un od dros ben oedd honna erioed. Dwi'n siŵr fod y ddynes 'na yn ffilm Hitchcock, *Psycho*, wedi'i seilio arni hi.

'Louis Cypher Dixon oedd ei enw llawn o, os dwi'n cofio. Coblyn o enw crand, ac roedd sôn fod y teulu unwaith yn gefnog ac yn berchen stadau mawr yn Nwyrain Ewrop, ond fod y rhyfel wedi chwalu popeth. Mi symudodd y teulu yma o rywle yn Ewrop, pan ddaeth y rhyfel i ben; dwi ddim yn cofio o ble yn union.

'Pan ailbriododd ei fam ychwanegwyd y cyfenw Dixon, ond pharodd hynna ddim yn hir. Diflannodd 'rhen Dixon un noson a chlywodd neb yn yr ardal 'run gair o'i hanes wedyn.

'Yn stryd Fairwater Green roedd o'n byw gyda'i fam

trwy'r blynyddoedd y bu o yma, dwi'n meddwl. Mae'r stryd honno wedi cael ei chwalu ers oes i wneud lle i archfarchnad neu rywbeth gwirion fel'na.

'Roedd straeon wedi bod yn yr ardal am rai misoedd fod rhywun wedi bod yn ymosod ar ddynion oedd yn cerdded adref ar eu pennau'u hunain, ac roedd dau fachgen wedi gorfod cael triniaeth mewn ysbyty.

'Ond un noson fe ddaliodd yr heddlu Dixon wedi'i wisgo mewn lifrai o ryw fath, ac yn gwisgo het blismon roedd wedi'i dwyn rywbryd. Roedd o wrthi'n ymosod ar ddyn lleol oedd wedi meddwi.

'Dwi'n meddwl iddo'i rwymo gyda gefynnau, ond fe aeth i'r llys yn gwadu pob dim. Dim ond dwy ar bymtheg oed oedd o bryd hynny. Fe gafodd ei ryddhau gan mai hon oedd ei drosedd gyntaf ac oherwydd fod ei fam yn dweud fod angen ei help i ofalu amdani. Mi fuodd hi farw'n fuan wedyn ac fe ddiflannodd Dixon o'r golwg bron ar unwaith.

'Un diwrnod roedd yn cerdded y strydoedd fel pe bai dim byd anghyffredin wedi digwydd, a'r bore wedyn, doedd dim siw na miw ohono yn unlle. A deud y gwir, roedd yn rhy beryglus iddo fo aros yn y cyffinia'n rhy hir.

'Oes unrhyw syniad ganddoch chi lle'r aeth o wedyn, neu oes unrhyw un wedi clywed ganddo ers hynny? Yn rhyfedd iawn, dwi'n siŵr iddo fynd i fyw i Ogledd Cymru. Roedd sôn fod ganddo fodryb yn byw ar yr arfordir, yn ôl be dwi'n gofio.'

'Does ganddoch chi ddim llun ohono fo'n digwydd bod?' gofynnodd Dafydd yn obeithiol.

'Dim cyn belled ag y gwn i. Ond galla i ei ddisgrifio fo'n dda ichi. Roedd yn dal iawn, tua chwe troedfedd pedair modfedd, ond yn denau ac esgyrnog iawn. Gwyneb hir, ac roedd o'n gwisgo sbectol drwchus er pan yn blentyn ifanc. Dwn i ddim os ydi hyn hefyd yn help, ond roedd ei fam yn ymffrostio fod ei mab yn aelod o Mensa, y gymdeithas ar gyfer pobl alluog.

'Ond geiriau'r barnwr 'na sy'n aros efo fi. Dyma fo'r adroddiad ichi: *I fully believe you to be a danger to society but I have insufficient evidence to lock you away. I can only hope that your mother can cure you of this.*"

'Bu farw'r graduras lai na mis wedyn, er fod ei hiechyd wedi bod yn dda tan hynny. A dyna'r adeg y diflannodd Dixon o'r ardal hon am byth. Ia wir, dyn anghynnas dros ben ydi'r peth mwya caredig y gallwn i ddeud amdano.'

*   *   *

Nid oedd y Casglwr wedi defnyddio'r enw Dixon ers blynyddoedd, ers y noson honno pan adawodd gartref ei fam am byth. Ond fel y pnawn hwn, byddai'n meddwl yn aml am y cyfnod cynnar poenus, ac am ba mor agos y daeth popeth i fethu ar y cychwyn. Addawodd na fyddai'n gwneud camgymeriadau fel yna eto, ac er gwaetha popeth roedd wedi llwyddo. Tan yr wythnos yma.

Lwyddodd o fyth i fygu'r atgofion am y blynyddoedd cynnar unig yna, gyda dim ond llyfrau a'i fam yn gwmni. Pan fu'n rhaid iddo fynd i'r ysgol, roedd ei ddillad a'i daldra'n ei wneud yn destun sbort naturiol, a chiliodd fwyfwy i'w fyd bach ei hun. Ond roedd yn llawer mwy clyfar na gweddill y plant, er nad oedd ganddo'r amynedd i ddangos hynny yn yr ysgol.

Doedden nhw ddim yn bwysig o gwbl, mewn gwirionedd, meddyliodd. Creaduriaid dwl a budr, heb syniad o'r hyn y gallai o ei wneud iddyn nhw. Petai'n cwrdd â nhw heddiw, fe allai eu gwneud yn enwocach nag y gallen nhw fyth fod wedi'i freuddwydio. Gallai ddewis eu cynnwys yn ei gynllun mawr. Ond falle nad oeddynt yn haeddu'r fath hawl.

Roedd wedi aberthu cymaint er mwyn ei waith mawr, a byddai'n flin ambell dro na lwyddodd gyda'i fusnes fel yr haeddai. Ond dyna fo – roedd yn gorfod rhoi gymaint o ymdrech i mewn i'r gwaith mawr.

Rhyw ddydd byddai'n rhydd i ddweud wrth ddynion cyffredin fod rhai anghyffredin yn eu mysg, rhai fel fo oedd yn codi uwchlaw'r gweddill ac yn ysgwyddo'r baich o gael gwared ar y gwan. Dylai pobl fod yn diolch iddo am ei ymroddiad i dasg anferth.

Dyna sut roedd wedi dianc o'r gornel eto yr wythnos yma, a thwyllo'r heddlu eto fyth. Roedd wedi gwrando ar bob bwletin, ond mae'n amlwg nad oedd yr heddlu'n chwilio am neb arall. Gwnâi yn siŵr trwy wrando ar sianelau radio'r heddlu, ond poenai'r rheiny fwy am ddal pobl oedd yn gyrru'n rhy gyflym. Ffyliaid, meddyliodd.

*   *   *

Wrth yrru 'nôl roedd Dafydd ac Elen yn pwyso a mesur y dystiolaeth newydd, ac er eu bod yn teimlo fod nifer o ffeithiau newydd ganddynt, nid oedd yn ddigon i gyfiawnhau stori eto. Roedd gormod o dyllau ynddi ar hyn o bryd, ond gydag ychydig bach mwy o fanylion byddai'n dal dŵr.

'Dyma be 'dan ni'n wybod hyd yma,' meddai Dafydd gan gyfri'r pwyntiau ar ei fysedd. 'Mae'r *Missing Persons Bureau* yn dangos fod cynnydd wedi bod yn nifer y bobl sy'n diflannu ar hyd arfordir y gogledd. Mi rydan ni'n gallu gweld fod y cynnydd yn cychwyn 'nôl yn y saithdegau ac wedi aros yn uchel ers hynny o'i gymharu ag ardaloedd tebyg o ran poblogaeth ac ati mewn rhannau eraill o'r wlad.

'Ddeng mlynedd ar hugain yn ôl fe gafodd bachgen ifanc ei arestio yn Lerpwl am ymosod ar ddynion yng nghanol nos. Mae'n osgoi carchar ac mae'n debyg iddo symud i fyw i rywle o amgylch Rhyl neu Fae Colwyn.

'Yn fuan wedyn mae adroddiadau'n cychwyn am ymosodiadau tebyg yng Ngogledd Cymru. Yn sgil hyn mae heddwas ifanc oedd yn ymchwilio i ymosodiadau tebyg yn taro ar rhyw gysylltiad, ond yna mae'n lladd ei hun er nad oedd dim problemau amlwg ganddo.'

Torrodd Elen ar ei draws. 'Dros y blynyddoedd mae'r ymosodiadau'n parhau, er ddim mor gyhoeddus, ac yn prinhau. Felly naill ai mae o'n gadael yr ardal, falle'n colli'r awydd, neu mae'n llwyddo rhywsut i beidio â thynnu unrhyw sylw ato'i hun am flynyddoedd. Dewis yn ofalus cyn ymosod ar rywun, fel y dywedodd Ifan y dydd o'r blaen.'

Parhaodd Dafydd i fynd trwy'r manylion oedd ganddynt. 'A'r stori olaf. Corff bachgen, tramorwr mae'n debyg, yn cael ei ganfod ar drac rheilffordd yn ymyl yr union gae lle achubwyd tramorwr ifanc arall ychydig flynyddoedd ynghynt. Roedd rhywun wedi rhwymo hwnnw a dechrau ei arteithio yn y goedwig cyn iddo lwyddo i ddianc.

'Y diwrnod ar ôl i'r trên fwrw'r corff ar y rheilffordd, mae gohebydd ifanc sy'n ymchwilio i'r straeon yn lladd ei hun, a hynny yn yr un dull ag y lladdodd y plismon ei hun ddeng mlynedd ar hugain ynghynt.'

Thynnodd Elen mo'i llygaid oddi ar y ffordd wrth ddweud, 'Mae hi'n stori fawr – does dim amheuaeth am hynny – ond rydan ni angen rhywbeth mwy pendant i gysylltu'r elfennau gyda'i gilydd cyn ein bod yn cyhoeddi.'

Cytunodd Dafydd, ac eisteddodd y ddau mewn tawelwch weddill y daith wrth feddwl eto am rybudd John Williams flynyddoedd ynghynt, 'dwi'n credu fod rhywun yn hela dynion yn y dyffryn'.

*   *   *

Ar ôl iddyn nhw gyrraedd Bangor, aeth Dafydd yn syth i siopa am fwyd cyn mynd adref. Llwyddodd mewn hanner awr wyllt i glirio'r fflat a llenwi'r peiriant golchi dillad i'r ymylon cyn mynd am gawod.

Felly roedd yn teimlo dipyn gwell pan ganodd y ffôn ac fe'i atebodd ar unwaith. Ifan oedd yno.

'Yli, dwi eisiau ymddiheuro am echdoe, ond cyn

hynna, newydd glywed ydw i fod rhai o'r hogia wedi bod draw yn dy holi di ddoe. Doedd gen i ddim syniad tan rŵan, a dwi'n meddwl fod rhywun yn trio chwara gêmau. Ond dim ots am hynna am y tro. Ti'n iawn?'

'Ydw. Jest wedi cael bach o sioc ddoe, a deud y gwir. Ond rown i'n gwybod nad oedd gen ti ddim byd i neud efo'r ymweliad.'

'Doedd o'n ddim byd i neud efo fi, a taswn i'n gwybod fod tad Anna'n gofyn am ffafrau fel hyn mi fasan nhw 'nôl mewn iwnifform cyn diwedd y shifft. Ydi hi'n gyfleus i mi alw draw? Mae ganddon ni dipyn o waith trafod.'

'Tyrd draw â chroeso. Mi fydd bwyd yn barod mewn hanner awr os ti awydd rhywbeth.'

* * *

'Rown i dan dipyn o bwysau y diwrnod o'r blaen, ond ddylswn i ddim fod wedi'i dynnu fo allan arnat ti. Ond roedd cymaint o bethau od wedi bod yn digwydd; methu cael hyd i'r ffeils am hen achosion, a chael gair o gyngor – oedd yn ddim llai na rhybudd – gan uwch swyddogion i beidio cynhyrfu'r dyfroedd, os oeddwn i'n gwybod beth oedd yn dda i 'ngyrfa.' Eisteddai Ifan yng nghegin Dafydd yn bwrw'i fol.

'Dyna pam 'nes i wylltio. A wedyn clywed fod dau dditectif o fy adran i wedi cael eu hanfon, diolch i ryw *old boy network*, i dy holi di heb ddweud wrtha i. Anfaddeuol.

'Dwi'n dal i feddwl dy fod wedi bod yn wirion wrth

beidio deud yn syth fod Anna wedi mynd. Dwi'n ffrind i ti, ac mi rydw i bob amser yn barod i wrando. Ti'n gwybod hynna'n iawn bellach. Mae'n amlwg ers tro byd nad ydi pethau'n dda rhyngddoch chi.

'Ac mae'n amlwg hefyd nad wyt ti'n edrach ar ôl dy hun yn iawn, a dwi'n poeni amdanat ti weithiau. Alli di ddim llosgi dau ben y gannwyll am byth, 'sdi, a disgwyl cael maddeuant.'

Gwyddai Ifan gystal â neb fod ei ffrind yn casáu derbyn cyngor a'i fod yn berson hynod bengaled. Felly penderfynodd newid y pwnc yn gyflym. Roedd gormod o bethau pwysig ganddyn nhw i'w trafod i gael eu peryglu gan ffraeo dibwys.

'Ond mi synnet gymaint o eiddigedd sy 'na tuag ata i oherwydd mod i wedi cael fy mhenodi i'r swydd yma, a falle'u bod nhw'n trio anfon neges ata i trwydda chdi.'

Gwenodd Dafydd gan ei fod yn deall yn well na neb at beth oedd Ifan yn cyfeirio. Yna eglurodd lle'r oedd Elen ac yntau gyda'u hymchwiliad, ond nad oedd digon o dystiolaeth ganddyn nhw ar hyn o bryd i gyhoeddi'r stori.

'Fasa datganiad, di-enw wrth gwrs, gan uwch swyddog heddlu, yn llenwi'r bwlch yna i ti?' cynigiodd Ifan yn ddidaro.

'Ti o ddifri?'

'Wrth gwrs fy mod i. Faswn i ddim yn cynnig rhywbeth felna i ti ar chwarae bach.'

'Mi fasa hynna'n bendant yn rhoi stori i ni, ond wyt ti'n berffaith siŵr? Wna i mo dy enwi di, ond mi fydd pobl yn amau, mae'n siŵr, o ble daeth yr wybodaeth.'

'Mi gân nhw amau faint fynnan nhw. Dwi wedi cael

digon ar y lol yma. Paid â nghamddallt i, chwaith. Y rheswm dwi am i'r stori yma gael ei chyhoeddi ydi mod i wedi cael digon ar swyddogion yn mynnu claddu'u pennau yn y tywod.

'Ein dyletswydd ni ydi gwarchod y cyhoedd, ond ar hyn o bryd 'dan ni ddim yn gwneud hynny. Dwi'n meddwl ein bod ni, trwy beidio gwneud dim, yn eu rhoi nhw mewn perygl. O leia fel hyn mi fydd y stori allan yn yr awyr agored a bydd yn rhaid gweithredu mewn rhyw ffordd.'

Sylwodd Dafydd ar yr olwg herfeiddiol yn llygaid ei gyfaill a gwyddai nad oedd am newid ei feddwl. Roedd y ddau'n dal yn eithaf chwithig gyda'i gilydd ar ôl yr hyn gafodd ei ddweud, ond roedden nhw'n deall ei gilydd yn bur dda.

Penderfynodd Dafydd alw Elen draw gan fod ganddi law-fer dda, a doedd o ddim eisiau recordio llais Ifan, rhag ofn i rywun ofyn am y tâp fel tystiolaeth ac adnabod y llais.

*   *   *

Pan sylweddolodd Elen nad tynnu'i choes oedd Dafydd, rhoes y gorau i wylio *Coronation Street*; gadawodd ei swper yn mygu'n ddistaw yn y popty, a gyrru draw ar ras wyllt.

Sylwodd ar y car gwyn oedd wedi'i barcio yn ymyl y fflat eto a rhywun yn eistedd ynddo fel petai'n chwarae gyda'r radio. Roedd brith gof ganddi ei weld y noson o'r blaen hefyd. Un o'r cymdogion mae'n rhaid, meddyliodd.

161

Ugain munud gymerodd Ifan i roi'i ddatganiad i Dafydd ac Elen. Wedi gorffen, cofiodd Elen am y bwyd yn y popty, a chan fod pawb arall oedd yn rhannu ei thŷ mewn ymarfer côr, rhedodd 'nôl at ei char.

Sylwodd eto ar y car gwyn, a rhywun yn dal i eistedd ynddo, a heb oedi estynnodd am ei ffôn. Roedd y swper wedi hen ddifetha erbyn hyn, beth bynnag, meddyliodd.

Dafydd atebodd. 'Oes gen ti gymydog yn berchen ar gar gwyn eitha rhydlyd?' holodd Elen. 'Achos mae rhywun yn eistedd mewn car tebyg ac fel petai'n gwylio'r fflat. Roedd o yno pan gyrhaeddis i a dwi'n reit siŵr 'i fod o yno'r noson o'r blaen hefyd.'

'Paid â symud – mi fydda i yna rŵan,' atebodd Dafydd, gan redeg i lawr grisiau'r fflat heb oedi. Ond gwelodd y gwyliwr ei gysgod yn rhedeg heibio'r ffenestri; taniodd yr injan a gyrru oddi yno'n gyflym.

'Damia! Mae o wedi mynd cyn i mi gael golwg iawn arno fo, ond dwi'n siŵr nad oes neb yn y stryd yn berchen ar gar fel'na,' meddai Dafydd gan ymladd am ei anadl.

'Cyd-ddigwyddiad arall?' gofynnodd Elen i'r ddau.

'Ti'n gwybod bellach nad ydw i'n credu mewn cyd-ddigwyddiadau,' atebodd Ifan. 'Dwi hefyd am ofyn i gar sgwad alw heibio'r fflat yma yn ystod y nos. Dydan ni ddim yn siŵr pwy sy'n gyfrifol am hyn.'

Er gwaetha hynny, a'r ffaith iddo gloi bob drws a ffenestr, ni chysgodd Dafydd winc y noson honno.

15. CYHOEDDI A CHOLLI

Doedd dim smic i'w glywed yn stafell y Golygydd, dim ond sŵn papurau'n sisial wrth gael eu troi tra porai'r Golygydd trwy stori Dafydd. Gan fod y stafell yn orlawn, roedd y ffenestri ar agor er gwaetha'r glaw. Teimlai Dafydd dipyn hapusach na'r tro diwethaf y bu yn y stafell hon.

Pwysai yn erbyn y wal, yn gwisgo crys a thei glân, gydag Elen ar un ochr iddo a Chris ar y llall, a phawb yn edrych ar y Golygydd. Eisteddai Jeff Williams, cyfreithiwr y papur, a Miss Davies, yr ysgrifenyddes, un bob ochr i Harri. Yr ochr arall roedd Mark Thomas, y dirprwy olygydd, yn eistedd gan chwarae â'i dei coch a wincio ar Dafydd neu godi bawd am yn ail arno.

Roedd Dafydd wedi bod yn y swyddfa ers cyn saith y bore yn sgwennu'r stori, ac o fewn munudau i'w darllen roedd Harri wedi galw cyfarfod. Yn amlwg doedd o ddim yn hapus. Trodd at Jeff yn gyntaf a gofyn am ei farn.

'O safbwynt cyfreithiol mae hi'n stori reit gryf, gan nad does neb yn cael eu henwi, heblaw am y Louis Dixon 'ma o Lerpwl,' oedd barn Jeff. 'Does dim gwrthwynebiad gen i i'r stori, er efallai y buasai teulu Calvin yn cwyno fod cysylltiad yn cael ei wneud gyda'i farwolaeth o er nad ydi'r heddlu yn trin honno fel un amheus.'

Cytunodd Harri, gan daro'i feiro coch drwy ran o'r

163

stori oedd ar y ddesg o'i flaen. Brathodd Dafydd ei dafod. Teimlodd ei grys yn glynu i'w gefn â chwys.

Ailgydiodd Jeff yn ei sylwadau. 'Rŵan, dwi'n meddwl y buasai'n gallach peidio ag enwi Louis Dixon o gwbl ar hyn o bryd, gan fod cysylltiad uniongyrchol yn cael ei wneud yma gyda chyhuddiadau difrifol. Mi allai'r gŵr yma fod yn byw mewn rhan arall o'r wlad heddiw ac yn gwbl ddiniwed, neu fe allai rhywun arall o'r un enw yn yr ardal hon wneud cwyn.'

Allai Dafydd mo'i atal ei hun y tro yma. 'Ond dwi wedi edrych trwy'r llyfr ffôn a'r rhestr etholwyr. Tri pherson o'r un enw sydd yng ngogledd Cymru gyfan, a 'run ohonyn nhw'n byw yn y cyffiniau yma,' meddai wrth Jeff.

'Falla'n wir, ond dwi'n dal i gredu na ddylid ei enwi. Peidiwch ag anghofio chwaith na chafodd ei garcharu am y drosedd na'i ddedfrydu'n euog, ac roedd o dan ddeunaw oed ar y pryd hefyd.' A chyda hynna caeodd Jeff ei ffeil.

Roedd Harri'n amlwg yn cytuno â Jeff. 'Mae'n llawer rhy beryglus i enwi rhywun heb dystiolaeth gryfach,' meddai, 'a mi rydan ni am dynnu'r rhan am farwolaeth Calvin allan ohono hefyd. *Very bad taste* o gofio fod ei angladd o fory, David.

'Wedi'r cyfan, tydi'ch ffynhonell chi yn yr heddlu ddim yn mynd mor bell â gwneud y cysylltiad yna, nacydi? Gyda llaw, pwy ydi'r swyddog? Aiff o ddim pellach na'r pedair wal yma, dwi'n addo.' Gwenodd Harri'n wan ar Dafydd.

'Mae'n ddrwg gen i, ond dwi wedi rhoi fy ngair na

wna i enwi'r *person*,' pwysleisiodd Dafydd y gair yn galed, 'na dweud dim am ei swydd na'i radd chwaith. Ar yr amod honno roedd o'n fodlon rhoi'r cyfweliad. Roedd Elen yn y cyfweliad efo fi ac mi nododd hi bob gair gafodd ei ddweud ar y pryd mewn llaw-fer. Dwi'n credu felly fod hynny'n ddigon cryf i sefyll heb orfod enwi'r unigolyn,' ychwanegodd Dafydd.

Sylwodd fod Jeff yn sibrwd yng nghlust Harri wrth iddo ddweud hynny.

Roedd yn amlwg i bawb yn y stafell fod Harri'n pwyso a mesur pwysigrwydd y stori. Ar y naill law buasai'n bluen yng nghap y papur ac yn dod â sylw mawr iddyn nhw a chodi gwerthiant. Ond hefyd buasai'n cryfhau sefyllfa a swydd Dafydd, rhywbeth oedd yn gas ganddo ei wneud.

'Coblyn o stori dda, Harri; mi fydd pob gwasanaeth newyddion a phapur trwy'r wlad a thu hwnt yn siŵr o'n dilyn ni ar hyn.' Mark oedd yn siarad, newyddiadurwr a chanddo brofiad blynyddoedd yn Fleet Street. 'A bydd hynny'n siŵr Dduw o roi gwên ar wyneba cyfrifwyr Communications International, yn bydd?'

Cyfeirio roedd Mark at gwmni o America oedd wedi prynu'r *Coast Weekly* a nifer o bapurau lleol eraill. Ond fyth ers iddyn nhw gymryd drosodd, dim ond cyfres o doriadau a cholli swyddi roedd y cyfrifwyr wedi'u gwneud.

Gwenodd Harri wrth glywed sylw Mark. Roedd pawb yn gwybod ei fod dan bwysau i gyfiawnhau ei gyllideb ac i chwilio am doriadau newydd bob mis.

'Mi faswn i'n tueddu i fod yn ofalus efo'r geiriad am

farwolaeth yr heddwas John Williams,' meddai Chris gan edrych ar Dafydd, oedd yn crychu'i wyneb o glywed hyn, 'yn bennaf i arbed teimladau ei wraig sy'n amlwg wedi dioddef digon. Efallai nodi, ar hyn o bryd, iddo farw'n sydyn, yn hytrach na thrwy hunanladddiad. Mi ddylsen feddwl am angladd Calvin fory a theimladau ei deulu yntau. Mae angen bod yn sensitif, ond does dim rhaid i'r stori fod yn wannach oherwydd hynny.'

Cytunai Dafydd gyda Chris.

'Felly ydan ni am brintio'r stori yr wythnos yma, rhag ofn i rywun arall gael gafael arni? Mi fasen ni'n edrych yn ddwl iawn tasai hynny'n digwydd,' meddai Mark gan wincio ar Dafydd.

Pryder mwyaf Harri oedd colli straeon i bapurau eraill, hyd yn oed i bapurau dyddiol, er mai unwaith yr wythnos y câi'r *Coast Weekly* ei gyhoeddi. Ochneidiodd y Golygydd yn ddistaw cyn dweud,

'Mi fyddwn ni'n rhoi hon ar y dudalen flaen, ac yn arwain gyda'r ymchwiliad gan yr heddlu i ddiflaniadau pobl ar arfodir Gogledd Cymru dros y deng mlynedd ar hugain diwethaf.'

Cododd i edrych ar Dafydd gan bwyntio'i fys ato.

'Er dy les di, gobeithio'r nefoedd nad ydi dy swyddog di-enw di ddim yn eu rhaffu nhw, neu mi wna i'n siŵr na chyhoeddi di air fyth eto yn dy fywyd.'

Profiad hir o'i reoli'i hun a rwystrodd Dafydd rhag gwenu.

Aeth Harri yn ei flaen. 'Mi fydd ail stori yn rhestru'r achosion eraill sy ganddon ni, ac mae 'na luniau efo'r rheiny hefyd, does?' Gwenodd Dafydd arno.

'Hefyd ar y dudalen flaen dwi eisiau stori'r gyrrwr trên aeth dros y corff a llun ohono fo a'i wraig. Ar hyn o bryd dwi ddim eisiau cysylltu'r ddwy stori'n uniongyrchol, gan nad ydi ymchwiliad yr heddlu'n gwneud hynny.

'Dyna ni, dwi'n meddwl, ond mi ddylsai pawb ddechrau meddwl rŵan sut y gallwn ni ddatblygu'r stori ymhen yr wythnos. David, dy ffynhonnell di yn yr heddlu ydi'r un amlwg, ac unrhyw wybodaeth bellach am y Louis Dixon 'ma.'

Gyda hynny, cododd Harri ar ei draed.

'Falla y dylsen ni longyfarch Dafydd ar ei waith ar y stori yma, y fwyaf 'dan ni wedi'i chael ers blynyddoedd,' meddai Mark gan gadw wyneb syth.

'Mae Elen wedi gwneud llawn cymaint o waith â fi,' meddai Dafydd yn frysiog, 'ac mae hi'n haeddu'r clod a'i henw ar y stori hefyd,' ychwanegodd.

'*Quite right*,' meddai Harri. 'Mae hi'n *credit* i'r papur 'ma ac ond wedi bod yn gweithio fel gohebydd ers ychydig fisoedd. Da iawn ti, Elen. A David 'ma hefyd, wrth gwrs.'

Er gwaetha canmoliaeth hynod gyndyn y Golygydd roedd Dafydd yn gwenu wrth adael y swyddfa. Byddai'r stori ar y dudalen flaen a'r papur yn y siopau erbyn diwedd y pnawn.

*   *   *

Am eiliad fer, teimlodd y Casglwr ofn yn ei lethu pan welodd bennawd y papur ar fwrdd y tu allan i'r garej leol.

Yna chwilfrydedd ynghylch sut roedden nhw wedi gwneud y cysylltiad, a drodd yn ddicter oedd yn byrlymu trwyddo nes ei fod yn chwysu er gwaethaf yr oerfel.

Darllenodd trwy'r stori ar frys a gwenu wrth nodi nad oeddent yn gwneud unrhyw gysylltiad â'r corff ar y rheilffordd nos Sul. Ond diflannodd y wên wrth sylwi fod hanes yr ymosodiadau cynnar yno, hyd yn oed rhai Lerpwl! Rhywsut roedden nhw hefyd wedi cysylltu'r stori â marwolaeth yr heddwas busneslyd 'na. Sut goblyn oedden nhw wedi dod ar draws hynna?

Aeth 'nôl at y dudalen flaen i ddarllen enwau'r ddau ohebydd a chofio'n sydyn ei fod yn gwybod yn iawn pwy oedden nhw. Roedd wedi ei hen ddisgyblu ei hun i beidio gwneud dim ar frys, nid fel yn y dyddiau cynnar; i dynnu ei feddwl oddi ar y stori aeth i nôl ei wn daufaril a mynd allan i hela.

Byddai'n rhaid i rywun dalu'n ddrud am geisio ei groesi, meddyliodd, ac roedden nhw'n wirion iawn os oedden nhw'n meddwl y gallent ei rwystro. Eisoes roedd yn gweld sut y gallai gael dipyn o hwyl gyda'r stori, a falle fod y gohebydd yma'n wrthwynebydd teilwng – yn fwy felly na'r rhai roedd wedi dod ar eu traws yn y gorffennol. Tybed pwy oedd yn haeddu cael ei chwynnu y tro yma?

* * *

Eisteddai Dafydd yn y fflat, a chopi o'r papur o'i flaen, gan wenu'n llydan.

Ond yr hyn a'i gwnaeth yn hapusach fyth oedd iddo fynd am beint ar ôl gwaith gyda gweddill y criw i ddathlu'r stori, a Harri'n prynu diod i bawb. Yna fe aeth adref i'r fflat yn lle aros allan yn yfed fel arfer.

Roedd am fwynhau'r profiad a cheisio'i gofio, ac felly roedd am aros adref i ystyried sut i ddatblygu'r stori erbyn yr wythnos ganlynol. Cafodd alwad gan Ifan yn gynharach – roedd o wrth ei fodd gyda'r stori, a'r effaith a gawsai hi hyd yma ym mhencadlys yr heddlu.

Doedd o heb siarad gyda 'run o'i ffrindiau drwy'r wythnos ac roedd yn dal i deimlo braidd yn euog am fethu'r gêm nos Lun. Efallai y basen nhw'n fwy tebygol o faddau iddo ar ôl gweld y papur, er nad oedden nhw fyth yn cyfaddef eu bod yn darllen ei erthyglau.

'Gwyn? Sut wyt ti? Be ddigwyddodd nos Lun? Mae'n wir ddrwg gen i nad oeddwn i'n gallu bod yno, 'sdi. Ond doedd mo'r help efo'r stori roeddwn i'n ymchwilio iddi.'

Cafwyd saib ar ochr arall y llinell am eiliad neu ddwy.

'Y stori yna roeddat ti'n gweithio arni, felly? Felly pryd wyt ti'n mynd i ddal yr Hannibal Lecter 'ma, cyn iddo fo'n lladd ni i gyd?'

Chwerthin wnaeth Dafydd yn hytrach nag ateb. Roedden nhw'n amlwg wedi maddau iddo fo.

'Gêm gyfartal oedd hi nos Lun, ond mi fyddi yno'r wythnos yma yn byddi? Prin grafu tîm at ei gilydd ydw i eto.'

'Paid â phoeni, mi fydda i yno. Ddrwg gen i eto am fethu'r gêm, ac mi wela i chi nos fory – tua saith? Mi ffonia i chi pan dwi ar y ffordd. White Lion, mae'n siŵr?'

Ddywedodd Gwyn 'run gair am ychydig, cyn ychwanegu, 'Ia. Ddrwg gen i glywed am dy gyd-

169

weithiwr di hefyd. Dipyn o sioc, mae'n siŵr, yn doedd, a fynta mor ifanc. Rhoi petha mewn perspectif rhywsut, tydi, pan wyt ti clywed am betha fel'na.' Swniai Gwyn yn chwithig a theimlai Dafydd 'run fath. Beth gallai rhywun ei ddweud mewn sefyllfa o'r fath?

Yna clywodd Dafydd gnoc ar y drws.

'Ydi wir. Gwranda, mae'n rhaid i mi fynd, ond wela i chi fory tua'r saith o'r gloch. Hwyl!'

Agorodd ddrws y fflat yn gwenu gan hanner disgwyl mai Elen oedd wedi galw draw. Ond Anna a safai o'i flaen, a doedd dim arlliw o wên ar ei hwyneb gwelw.

'O! Chdi sy 'na,' meddai'n chwithig gloff gan rewi yn ei unfan a rhythu arni.

'Be? Mae'n siŵr dy fod yn disgwyl rhywun arall, oeddet ti? Un o dy amrywiol ferched eraill, mae'n siŵr. Wel, paid â phoeni, wnaiff hyn ddim cymryd llawer o amser rhag ofn i fi godi cywilydd arnat ti o flaen un ohonyn nhw.'

Gwthiodd Anna heibio iddo gan fynd yn syth i'r gegin a phwyso yn erbyn y wal bellaf, ei breichiau wedi'u plethu'n benderfynol o'i blaen.

Edrychai'n flin ac roedd ei llygaid brown wedi cochi a chrychu gan ddiffyg cwsg. Roedd ei hwyneb tlws yn welw a blinedig, a'i gwallt du wedi'i glymu mewn plethen y tu ôl i'w phen.

'Lle ti wedi bod? Dwi wedi bod yn poeni amdanat ti . . .'

'Ie, *right,*' meddai Anna'n sur.

'Wir i ti, ac mae dy dad wedi bod yn trio cysylltu hefyd – mae o wedi ffonio droeon. Ydi dy ffôn di wedi torri neu rywbeth? Lle ti wedi bod, beth bynnag? Pam na wnest ti adael neges?'

'Dydi o'n ddim o bwys erbyn hyn lle dwi wedi bod, ond os wyt ti wir eisiau gwybod, es i i weld Menna sy'n byw yn Nulyn. Roedd yn rhaid i mi fynd o fan hyn i feddwl, a 'nes i benderfynu diffodd y *mobile* hefyd. Dwi wedi cael hen ddigon ar dderbyn negeseuon meddw gynnot ti ynghanol nos.'

'O reit. Dwi'n dallt. Dwi'n falch dy fod ti'n ôl. Mynd i feddwl 'nes ti?'

Edrychodd Anna mewn syndod arno am eiliad. 'Ti ddim yn cofio, nagwyt? Sgen ti ddim syniad, mae'n siŵr, pam mod i wedi mynd oddi yma nos Sadwrn. Dwi'n synnu dim o gofio faint roeddet wedi'i yfed eto.'

Teimlai Dafydd ei hun yn gwrido o euogrwydd.

'Mi ro i air o gyngor iti ar gyfer y dyfodol efo dy *lady friends* bach eraill. Dydi o ddim yn syniad da deud enw merch arall pan wyt ti efo rhywun yn y gwely, a jest chwerthin wedyn a deud fod honno'n hardd hefyd.

'Dwi jest ddim yn credu be ti'n wneud ambell dro. Mae gen ti'r ddawn i frifo rhywun i'r byw heb drio'n rhy galed. Gobeithio y gwnaiff rhywun hynna i ti ryw ddiwrnod er mwyn i ti weld be dwi wedi gorfod ei ddioddef.

'Ond wyddost ti be ydi'r peth gwaetha? Mi fues i'n meddwl yn galed dros y penwythnos a phenderfynu yn y pen draw rhoi cyfle arall iti achos ti'n gallu bod yn berson mor hyfryd, sensitif a doniol pan wyt ti'n rhoi dy feddwl arni.

'Pam arall ti'n meddwl yr es i yn erbyn dymuniada

171

fy rhieni a mynd efo chdi yn y lle cyntaf, a symud i Lundain a wedyn 'nôl i'r twll yma? Roedd gen i ffydd ynddot ti ac mi wnes i aberthu dipyn er dy fwyn di – ond mae'n amlwg mai gwastraff llwyr oedd hynny.

'Ond mi ddes i 'nôl yma yn barod i roi cynnig arall iti – am ffŵl! – a be welis i ond rhyw ferch yma ddwy noson ar ôl ei gilydd. Dwi'n meddwl mai'r un ferch oedd hi â'r un gysgaist ti efo hi o'r blaen, ac addo na fase hynny byth yn digwydd eto.'

'Ond yma i drafod gwaith oedd hi yr wythnos yma . . .'

'Cau dy geg am funud a rho gyfle i mi siarad rŵan. Gei di dy gyfle wedyn.'

Safai Dafydd yn ei hwynebu, a'i ddwylo'n gafael yng nghefn y gadair bren, rad. Teimlai ei ewinedd yn tyllu i'r pren ac ambell sblintar yn gwthio'n boenus waedlyd dan yr ewin.

'Mae'n hollol amlwg nad wyt ti'n poeni 'run botwm corn am fy nheimlada i. Mae'n gymaint gwell gen ti fynd allan efo dy ffrindia i yfed, a rowlio i mewn ganol nos yn rwdlan fod y gwylanod ar dy ôl di, neu dy fod wedi colli dy waled, neu rhyw lol felna.

'A thrio nhwyllo i trwy ddringo i mewn trwy ffenest y stafell molchi tua pump o'r gloch y bora, a chysgu ar y soffa a deud iti fod yno trwy'r nos. Pathetic. Dyna'r oll wyt ti. Pathetic.'

Teimlai Dafydd yn euog tu hwnt, ac er fod ei wyneb yn boenus o boeth ceisiodd wadu'r cyfan. 'Yli, tydi hynna ddim yn wir . . .'

Cododd Anna ei llaw gan ysgwyd ei phen. 'Dwi ddim yn dy goelio di weithia. Dwi wir yn ama nad wyt ti'n gwybod pryd ti'n deud celwydd a phryd ti'n deud y gwir, gan dy fod ti'n siarad gymaint o lol.

'Ti wedi arfer gymaint efo deud celwydda pan wyt ti'n meddwl fod hynny'n haws iti, gan dwyllo dy hun fod hynny'n haws i bawb, a dy fod yn arbed brifo teimladau pobl eraill.

'Ond ti'n anghofio fod gan bobl eraill deimlada hefyd, a digon o synnwyr cyffredin i weld trwy'r celwydda *predictable* 'ma.'

'Ti'n bod yn annheg rŵan.' Cododd Dafydd ei lais yn flin. 'Os ca i gyfle gen ti . . .'

Gwaeddodd Anna ar ei draws a chofiodd Dafydd am yr heddlu'n ei holi am ffrae'r penwythnos cynt.

'Na chei! Dwi wedi cael mwy na digon, iti ddallt. Felly mae'r cyfan drosodd. Bydd cyfreithiwr Nhad yn cysyllltu efo chdi'n fuan i wneud trefniada ynghylch y fflat.' Cerddodd Anna am y drws. 'Mi ddo i'n ôl bnawn Llun i nôl fy mhetha ac mi fasa'n llawer haws i'r ddau ohonan ni taset ti ddim yma. Dwi'n gobeithio y gwnei di roi cymaint â hynna o barch imi o leia.'

Roedd dagrau'n llenwi ei llygaid wrth iddi droi a chau'r drws yn rhyfeddol o ysgafn o'i hôl.

Er gwaethaf popeth roedd hi wedi'i ddweud, sylweddolodd Dafydd yn yr eiliad y caeodd y drws yn glep ei fod yn ei charu.

*   *   *

Ddwy awr yn ddiweddarach roedd Dafydd yn difaru nad oedd wedi aros yn y dafarn gyda Harri. Byddai hyd yn oed hynny wedi bod yn well nag aros i mewn.

173

Yn fuan ar ôl i Anna adael, roedd Elen wedi ffonio i ofyn pam nad oedd wedi aros i yfed mwy – fel arfer, meddai gan chwerthin. Heb feddwl, roedd Dafydd wedi ei gwahodd hi draw i drafod y stori. Roedd hi'n amlwg ar ben ei digon ar ôl i'r stori gael ei chyhoeddi gyda'i henw hithau arni.

Wnaeth Dafydd ddim oedi i feddwl beth allai ddigwydd petai Anna wedi dod 'nôl eto. Roedd rhan faleisus ohono yn gobeithio y basai. Dywedodd Dafydd wrth Elen ei fod ef ac Anna wedi gorffen, heb wneud yn glir pwy wnaeth orffen efo pwy. Doedd o ddim yn disgwyl iddi ymateb fel y gwnaeth.

'Be, felly? Ti'n disgwyl i mi fynd allan efo chdi jest am fod Anna wedi gorffen efo chdi? O, mae'n deimlad rîlî braf gwybod mai *second best* ydw i i ti. Mae hi wedi mynd, felly mi wna i y tro, ia? Ai felna wyt ti meddwl go iawn? Rown i'n disgwyl gwell gen ti, 'sdi. Deuda'r gwir rŵan. Tasa hi wedi aros efo chdi, fasat ti ddim wedi mynd efo fi, yn na fasat?

'Wel mae'n ddrwg gen i ddeud hyn wrthat ti, ond chei di mohona i felna. Dwi'n ddiolchgar iti am fynnu mod i'n cael rhannu'r *catchline* ar y stori, a dwi'n mwynhau gweithio efo chdi, ond nes dy fod ti'n sortio dy hun allan wna i fyth gytuno i fynd allan efo chdi.

'Dwi'n gobeithio y gallwn ni gael perthynas broffesiynol yn y gwaith, achos dwi'n cytuno efo chdi nad ydi'r stori yma ond megis dechra. Ond fydd dim mwy na hynna rhyngddon ni. Gobeithio dy fod ti'n dallt.'

Gyda'r geiriau yna fe aeth Elen allan o'r fflat gan

adael Dafydd yn syllu'n syn ar ei hôl. Ond roedd rhan fach ohono'n sylweddoli iddo golli popeth oherwydd ei wendid a'i ffolineb ei hun.

A phan gaeodd y drws am yr eildro y noson honno, gwasgodd Dafydd y copi o'r *Coast Weekly* yn bêl cyn ei chicio'n galed ar draws y stafell gan regi'n uchel.

16. RHYBUDD

Gwawriodd y Sadwrn yn gynnes a sych, er fod y cymylau du yn hofran uwchben copaon Eryri a draw dros yr Eifl, gan addo glaw yn hwyrach yn y dydd. Adlewyrchai'r tywydd deimladau Dafydd wrth iddo ystyried y diwrnod oedd o'i flaen.

Roedd y bore wedi cychwyn yn addawol iawn. Roedd y papurau cenedlaethol a'r gwasanaethau newyddion wedi clywed am y stori y noson cynt, a hawliodd y prif benawdau ymhobman. Amheuai Dafydd fod rhywun yn y stafell argraffu wedi rhybuddio un o'r gwasanaethau newyddion am y stori ac wedi cael cildwrn go dda am wneud hynny.

Cafodd nifer o gynigion i wneud cyfweliadau radio a theledu, ac roedd ar ben y byd wrth gytuno i bob un ohonyn nhw. Yna roedd brith gof poenus wedi ei atgoffa am gyflafan y noson cynt, heb sôn am y lwmp o iâ yn ei stumog oedd yn ei atgoffa fod angladd Calvin Jac yn cael ei gynnal y pnawn hwnnw.

Rhwng cynnal sawl cyfweliad teledu ar y lawnt y tu allan i'r fflat, a derbyn amryw o alwadau ffôn, ni chafodd Dafydd amser i feddwl am ddatblygu'r stori nac i ffonio Anna fel yr oedd wedi addo iddo'i hun.

Smwddio'i grys gwyn yn y stafell fyw yr oedd, gan regi wrth i'r crys fagu crychau cam ar ei hyd er gwaethaf ei ymdrechion, pan gafodd alwad ffôn oedd i gael effaith ysgytwol arno.

'Bore da. George Thomas sy 'ma,' meddai'r cyn-ohebydd mewn llais crynedig. 'Dim ond eich ffonio i'ch llongyfarch am y stori 'na. Mae hi wedi cael sylw mawr, ond does dim angen i mi ddweud hynny wrthoch chi.'

'Diolch ichi am ffonio,' meddai Dafydd. 'Gobeithio ei fod yn iawn efo chi mod i wedi'ch enwi chi fel y gohebydd oedd ar y stori'n wreiddiol, ac yn ailadrodd nifer o'r ffeithiau hynny.

'Mae'r heddlu wedi colli nifer o'r ffeils swyddogol o'r cyfnod, felly dim ond eich archif chi sy gynnon ni ar hyn o bryd. Ond, wrth gwrs, tydi'r heddlu ddim yn fodlon cyfadde hynny'n gyhoeddus.'

Synhwyrai Dafydd fod rheswm arall dros alwad George Thomas, ac roedd yn iawn.

'Gan fod y stori wedi'i chyhoeddi,' meddai George, 'mae hi'n bryd i mi ddweud rhywbeth arall wrthoch chi. Feddyliais i 'rioed byddai pethau'n symud mor gyflym, ac rown i wedi bwriadu sôn wrthoch chi rywbryd. Falle y dylswn fod wedi deud hyn y dydd o'r blaen pan alwoch chi heibio, ac mae'n ddrwg gen i na wnes i. Mae'n rhy hwyr rŵan, yn tydi.'

Taniwyd chwilfrydedd Dafydd eto, ac anghofiodd am y crys gwyn oedd yn wedi llithro oddi ar y bwrdd smwddio i gasglu llwch ar y llawr.

'Peidiwch â phoeni am ddim byd, Mr Thomas. Taswn i'n gwybod fod y stori am ddatblygu mor gyflym ag y gwnaeth mi faswn wedi'ch rhybuddio chithau hefyd.'

Oedodd George Thomas cyn parhau â'i stori. Yn y cefndir gallai Dafydd glywed sŵn drysau'n cau'n glep a pheiriant car yn tanio.

'Pan gyhoeddais i'r stori yn rhestru'r ymosodiadau a'r digwyddiadau yna, mi . . . mi . . . mi ddigwyddodd rhywbeth od . . .'

Tynnodd George anadl swnllyd gan fwrw mlaen yn frysiog cyn i Dafydd gael cyfle i ddweud gair.

'Yn fuan wedi marwolaeth John Williams mi ges i gerdyn trwy'r post mewn amlen, a dim byd arno heblaw enwau fy ngwraig a'r plant.'

'Rhyfedd,' meddai Dafydd yn ofalus. 'A doedd 'na'r un neges arno fo chwaith? Lle'r oedd o wedi cael ei bostio?'

'Dyna oedd yn fy mhoeni. Chafodd o mo'i bostio, a doedd dim stamp arno. Roedd rhywun wedi'i wthio trwy'r blwch llythyrau ganol nos heb adael enw na chyfeiriad nac unrhyw fath o neges arno.'

'Efallai mai jôc gan un o'ch ffrindiau oedd o, neu ffrind wedi postio'r amlen ond wedi anghofio'r cynnwys,' meddai Dafydd yn gloff.

'Na, fe wnes i holi pawb. Y gwir ydi, hyd heddiw dwi'n reit siŵr mai pwy bynnag oedd yn gyfrifol am yr ymosodiadau 'na wnaeth ei wthio drwy'r blwch post. Fel rhyw fath o rybudd. Does 'na ddim eglurhad arall sydd erioed wedi gwneud unrhyw fath o synnwyr i mi.'

Bu distawrwydd am eiliadau hir wrth i Dafydd gofio'n sydyn am y car roedd Elen wedi'i weld yn sefyll y tu allan i'w fflat ar y nos Iau.

'Diolch am ddweud wrtha i, a peidiwch â phoeni am beidio sôn amdano cyn hyn. Os byddai'n well ganddoch chi, wna i mo'ch enwi chi eto chwaith, Mr Thomas.'

'Mi faswn i'n ddiolchgar iawn. Hyd heddiw dwi'n dal

i gofio'r ofn deimlais i. Rŵan mae'r wraig a fi am fynd am wyliau at un o'r plant am dipyn tan mae'r hanes yma drosodd. Mae'r ffôn 'di bod yn canu'n ddi-baid yn barod heddiw, efo gohebwyr eraill yn holi a stilio. Do'n i ddim yn meddwl y basa'r stori'n cael gymaint o effaith.'

'Na finna,' meddai Dafydd. 'Ond peidiwch chi â phoeni am ddim, ac os cofiwch chi am unrhyw beth arall, rhowch alwad i mi. Mae ngherdyn i gynnoch chi, yn tydi?'

Dymunodd wyliau da i George cyn mynd i eistedd yn dawel a meddwl am y rhybudd gafodd ei roi yn ddienw ganol nos ddeng mlynedd ar hugain ynghynt.

*   *   *

Deffro dan gwmwl du wnaeth y Casglwr, ac wedi iddo wrando ar y radio a gweld papurau'r bore yn y siop, datblygodd y cwmwl yn storm.

Gwelai a chlywai'r stori ymhobman, ac wrth yrru 'nôl i'w gartref roedd y corwynt a chwyrlïai y tu mewn i'w ben yn gymysgedd o ofn a dicter. Pa hawl ocdd ganddyn nhw i'w alw'n *new Ripper* neu ysgrifennu pennawd hurt fel *New Hannibal Hunts in Wales*? Roedd yn sicr uwchlaw yr amatur dwl cyntaf, ac nid cymeriad llenyddol dychmygol diniwed mohono chwaith. Er fod rhai'n mynnu credu hynny.

Cyrhaeddodd ei gartref, ac wedi paratoi tebotaid o de, eisteddodd wrth y bwrdd derw i ystyried ei gam nesaf. Roedd y gegin yn dywyll, ond roedd yn gas ganddo olau cras y bylb trydan noeth. Chwaraeai â darn deg ceiniog gloyw rhwng bysedd ei law dde, gan ei drosglwyddo o un bys i'r llall yn llyfn heb edrych unwaith arno.

Defnyddiai'i law chwith i gymryd ambell lwnc o de neu i barhau i ddarlunio'r olygfa a welai trwy'r ffenestr â phensil. Roedd wedi dysgu yn y gorffennol fod hynny'n help iddo ganolbwyntio.

Sylweddolai y byddai'r holl sylw a gafodd y stori yn gwneud ei fywyd a'i waith dipyn anoddach. Y cam doethaf fyddai cadw'n ddistaw, neu hyd yn oed adael yr ardal ar fusnes am sbel. Nid oedd am gael ei ddal yn awr, ar ôl llwyddo i aros yn rhydd gyhyd.

Ond na. Dyna fuasai rhywun cyffredin yn ei wneud. Penderfynodd fod her wedi ei gosod o'i flaen, prawf o ryw fath, ac roedd yn benderfynol o'i goresgyn. A buasai'n rhaid i rywun dalu hefyd. Gwyddai pwy oedd hwnnw. Tybed a fyddai'n syniad da i'w rybuddio am yr hyn oedd ar fin digwydd?

*   *   *

Wedi ymdrech hir, llwyddodd Dafydd i smwddio coler y crys yn dderbyniol daclus. Doedd fawr o ots am y gweddill – byddai hwnnw o'r golwg dan ei siaced – ond addawodd iddo'i hun y buasai'n cyflogi glanhawr i'r fflat fuasai hefyd yn smwddio'i ddillad.

Roedd wedi cyflogi glanhawr am gyfnod un tro wrth geisio twyllo Anna ei fod yn glanhau'r fflat ei hun bob wythnos. Ond un bore fe ddaliodd hi'r glanhawr wrth ei waith, ac fe fu'n rhaid dioddef dyddiau o ffraeo wedyn am iddo ddweud celwydd arall wrthi.

Cafodd ei demtio i beidio ag ateb y ffôn y tro nesaf y canodd, ond wedi meddwl na allai'r sefyllfa fynd yn waeth cododd y derbynnydd.

'Bora da. Sut mae petha? Diodda ar ôl yr holl ddathlu neithiwr, mae'n siŵr?' meddai Ifan yn ysgafn, er nad oedd ei lais yn swnio'n hwyliog.

'I fod yn onest, dwi wedi bod yn well. Mi wnes i aros i mewn neithiwr, ond falla y basai wedi bod yn well taswn i wedi mynd allan efo'r criw gwaith am unwaith. Mi wna i dy ddiflasu efo'r manylion rywbryd eto.'

'Gwranda, oes rhywun efo chdi ar hyn o bryd?' gofynnodd Ifan.

'Nagoes. Pam . . .'

Torrodd Ifan ar ei draws.

'Mae 'na gwpwl o betha y dylsan ni neud o hyn ymlaen, er diogelwch. Paid â ffonio fi yn y gwaith nac ar fy *mobile* o hyn allan. Defnyddia giosgs cyhoeddus gymaint ag y galli di, ac mi ro i rif y dylset ei ddefnyddio i gael gafael arna i. Anfona neges decst cyn ffonio hefyd. Mi gymerith tua hanner awr cyn y galla i dy ffonio 'nôl. Sgen ti bapur wrth law?'

Arhosodd Ifan am ychydig tra oedd Dafydd yn chwilota am bapur a phensil, a rhoddodd y rhif ffôn iddo.

'Iesgob! Dwi'n teimlo fel James Bond fan hyn, ond heb yr holl ferched hardd yn taflu'u hunain ata i,' meddai Dafydd gan hanner chwerthin.

'Dwi'n gwybod fod hyn yn swnio'n hurt braidd,' meddai Ifan, 'ond fedrwn ni ddim bod rhy ofalus ar hyn o bryd. Mae pob math o gêmau gwleidyddol yn cael eu chwarae yma; mae'r *Chief Constable* yn lloerig fod y stori'n gyhoeddus ac mae o am waed pwy bynnag wnaeth ei datgelu.

'Ond y newyddion da ydi mai fi sy yng ngofal yr ymchwiliad fydd yn cael ei gyhoeddi'r pnawn 'ma i'r straeon. A phaid â synnu clywed fod yr ymchwiliad wedi bod yn cael ei gynnal ers misoedd! Rhaid i'r hen gadno warchod ei swydd rhywsut.'

Teimlodd Dafydd ei galon yn cyflymu. 'Mae hynna'n newyddion gwych . . .'

'Ydi, dwi'n gwybod, ond gad imi orffen. Y newyddion da arall ydi fod yr ymchwiliad wedi cychwyn a bod ambell un yn dechrau cymryd y straeon yma o ddifri o'r diwedd. Roedd yn werth cymryd y risg o roi'r cyfweliad iti, dwi'n meddwl.'

Oedodd Ifan am eiliad.

'Tydi'r ffeils yna heb ddod i'r golwg chwaith, ond mi aeth nifer fawr ar goll, mae'n debyg, wrth symud swyddfa. Ond mi fyddwn yn chwilio'n galed am y rhain, paid â phoeni, ac yn mynd i holi'r swyddogion fu'n gweithio arnyn nhw, gan gynnwys y rhai sy wedi ymddeol.

'Dwi'n deall hefyd fod Anna wedi dod i'r golwg ac felly does dim rhaid iti boeni chwaith am gael mwy o ymweliadau gan dditectifs yn dy holi ben bora.'

'Ti wedi clywed, felly? Wna i ddim holi sut wyt ti'n gwybod. Ond ydi, mae hi 'nôl. Wedi bod yn aros efo ffrind yn Nulyn, medda hi, ond tydi petha ddim yn dda o gwbl rhyngddon ni. Dwi ddim yn meddwl fod unrhyw ddyfodol i'r berthynas, a deud y gwir.'

Bu tawelwch chwithig rhwng y ddau ffrind, cyn i Ifan ychwanegu, 'Ddrwg gen i glywed hynna, ond paid â digalonni'n ormodol. A paid â chymryd gormod o sylw o'r hyn ddywedais i yn y caffi y dydd o'r blaen. Yn y bôn, poeni amdanat ti ydw i.

'Cofia, dwi'n ymddiried ynddot ti. Ti'n deall yn iawn faint sy gen i i'w golli yma, ond fel dywedais i y noson o'r blaen, dwi'n meddwl fod yn rhaid gwneud rhywbeth. Ac mae'n ddrwg gen i eto am ddydd Mawrth.'

Oedodd Ifan.

'Oes 'na rywbeth arall?' gofynnodd Dafydd.

'Mae'n ddrwg iawn gen i am hyn, ond dan yr amgylchiada dwi'n meddwl y byddi di'n deall. Dwi wedi cael gwarant i atal angladd Calvin heddiw. Hyd yma, tydi'r *post mortem* ddim wedi rhoi unrhyw beth newydd i ni, ond dwi am drefnu i wneud un fwy manwl a galw arbenigwyr y Swyddfa Gartref i mewn. Yn y pen draw, dyma'r peth calla i'w wneud yn fy marn i.'

Bu'r ddau yn ddistaw am funud.

'Dwi'n cytuno,' meddai Dafydd. 'Bydd yn gwneud pethau'n waeth am dipyn i'w deulu, ond dwi'n meddwl y dylid gwneud yn hollol siŵr nad rhywun arall oedd yn gyfrifol am ei farwolaeth.'

Er yr hyn a ddywedodd Dafydd, teimlai drueni dros deulu Calvin Jac ac fe gafodd y crys gwyn ei gicio y tu ôl i'r soffa cyn iddo ffonio Chris i drafod beth i'w wneud nesaf.

Am eiliad hunanol, gresynnai ei fod yn gweithio ar bapur wythnosol, cyn iddo gofio gyda phang o euogrwydd ei fod yn lwcus o gael swydd o gwbl. Cofiai na fyddai Calvin yn cael sgrifennu 'run gair fyth eto.

*   *   *

Gan ei bod yn nos Sadwrn, a'r syniad o eistedd yn y fflat ar ei ben ei hun yn gwylio'r teledu yn ddigon am ei iechyd, aeth Dafydd i gwrdd â'r criw yn ôl ei arfer, yn y Llew Gwyn.

Ar ôl ffrae y noson cynt doedd o ddim eisiau bod adref, ac roedd wedi cael llond bol ar roi cyfweliadau i ohebwyr ifanc trahaus oedd yn methu ynganu'i enw'n gywir. Cofiodd am y drafferth a gafodd yn Llundain, a'r ffraeo gydag Anna wrth iddi geisio'i berswadio i newid ei enw i'r fflurf Saesneg.

Dechreuodd ymlacio ar unwaith yng nghwmni ei ffrindiau, felly doedd o ddim adref pan ganodd y ffôn, na ychwaith chwarter awr yn ddiweddarach pan gripiodd cysgod tal, tywyll i fyny'r grisiau at y drws. Cnociodd yn ysgafn, ac oedodd cyn tynnu weiren denau o'i boced; o fewn eiliadau roedd wedi agor y clo. Camodd yn ofalus i'r fflat gan ddefnyddio fflachlamp fechan. Chymerodd hi ond ychydig funudau i ddod o hyd i'r hyn y chwiliai amdano, a gadawodd yr un mor ddistaw.

Clodd y drws y tu ôl iddo a gwthio amlen frown trwy'r blwch llythyrau. Gadawodd dan wenu.

17. YN Y PAPURAU

Erbyn ei bumed peint ynghanol ffrindiau, roedd Dafydd wedi dechrau anghofio am yr wythnos hunllefus, a gwenai fel giât wrth wrando ar y tynnu coes arferol.

Gadawodd ei ffôn ymlaen rhag ofn. Doedd o ddim yn siŵr rhag ofn beth, ond os digwyddai rhywbeth roedd eisiau gwybod amdano ar unwaith. Pan deimlodd y ffôn yn crynu yn ei boced, taflodd gip ar y sgrin a darllen y neges. Gohebydd un o bapurau tabloid Llundain oedd yno, yn ei rybuddio ei fod ar fin ffonio. Penderfynodd ateb yr alwad.

Bum munud yn ddiweddarach roedd yn edifarhau iddo'i ateb. Cwpwl o gwestiynau syml oedd gan y gohebydd. Beth oedd ganddo i'w ddweud ynghylch honiadau ei gyn-ddyweddi ei fod wedi ei cham-drin a bod yn anffyddlon iddi? Oedd ei honiad iddo'i defnyddio hi dim ond am ei harian yn wir? A beth am ei honiad iddo'i gorfodi i symud yn erbyn ei hewyllys o amgylch y wlad gan na allai ddal 'run swydd oherwydd ei broblem gydag alcohol? Roedd y stori am gael ei chynnwys yn rhifyn y diwrnod wedyn o'r papur.

Er fod ei ben yn troi roedd yn ddiolchgar ei fod ddigon call i beidio â dweud dim wrth y gohebydd, er gwaethaf ei ymbilio a drodd yn fuan iawn yn fygythiadau. Gwyddai Dafydd yn berffaith sut y byddai'r gohebydd wedi troi pob ateb i'w bardduo'n waeth fyth.

Teimlai'n swp sâl. Sleifiodd allan o'r dafarn heb ddweud gair wrth ateb, a throi am adref. Fe aeth yn syth i'w wely heb hyd yn oed roi'r golau ymlaen, a sylwodd o ddim ar yr amlen frown oedd ar y mat ger y drws. Ofnai mai galwad y gohebydd oedd y peth gwaethaf allai fod wedi digwydd iddo. Roedd yn anghywir.

*   *   *

Cododd yn disgwyl y gwaethaf a chafodd o mo'i siomi chwaith. Rhuthrodd o'r fflat i'r siop, gan wisgo hen gap *baseball* llychlyd ar ei ben. Doedd o ddim am i neb ei adnabod.

Roedd y stori'n waeth hyd yn oed nag y gallai fod wedi'i ddisgwyl. Ddoe cafodd ei holi ar bob sianel newyddion, ac roedd Harri ond yn rhy hapus iddo wneud hynny, cyn belled â bod y papur yn cael ei enwi bob tro.

Nawr roedd ei wyneb ar dudalen flaen y tabloid gwaethaf, dan y pennawd '*Hannibal Hunter Dumps Fiancée*'. Heblaw ei fod mor ddifrifol, buasai pennawd o'r fath yn chwerthinllyd. Taflodd ei arian ar y cownter gan adael heb edrych yn llygaid 'run o'r staff, oedd yn siŵr o fod wedi'i adnabod.

Roedd mor brysur yn darllen trwy'r stori wrth gerdded fel na welodd yr amlen oedd wedi cael ei chwythu yn erbyn wal cyntedd ei fflat. Roedd yn amlwg mai Anna oedd wedi mynd at y papur ac roedden nhw, yn eu dull arferol, wedi gwneud môr a mynydd o bob manylyn bach.

Erbyn gorffen darllen y stori – oedd wedi'i thaflu dros dair tudalen – credai ei fod mor boblogaidd â llygoden mewn cegin. Galwodd ei rieni yn gyntaf, a llwyddo i wasgu cwpwl o eiriau i mewn i araith flin ei fam i geisio ei hargyhoeddi nad y bwystfil a bortreadwyd yn y papur oedd ei mab hynaf. Roedd ei fam am fynnu mynd i'r capel y bore hwnnw i wynebu'r cymdogion yn syth, meddai wrtho.

'Ti'n gwybod yn iawn y bydd hyn yn fêl ar eu bysedd. Does dim byd yn well ganddyn nhw na gweld rhywun llwyddiannus yn methu,' ychwanegodd wrtho. 'Dyna wnaethon nhw pan symudaist ti 'nôl o Lundain, ond ddaeth 'na 'run ohonyn nhw ata i pan est ti yno yn y lle cyntaf. Dwi ddim yn gwybod be i wneud efo chdi, wir. Gobeithio y gelli di gael trefn ar betha, achos yn amlwg rwyt ti wedi gwneud cam mawr efo'r hogan.

'A pam na wnest ti'n ffonio ni i'n rhybuddio fod y stori am gael ei chyhoeddi? Mae'n dweud yn y stori dy fod ti wedi siarad efo nhw neithiwr, a chditha yn y dafarn hefyd.'

A gyda'r geiriau olaf swta yna, rhoddodd y ffôn i lawr yn ddirybudd ar ei mab hynaf.

Er i Dafydd geisio darbwyllo'i fam, roedd hi'n amlwg wedi penderfynu credu pob gair a ddarllenodd y bore hwnnw. Cydymdeimlai Dafydd â hi, a theimlai'n flin iawn tuag at Anna. Hawdd oedd anghofio mai ei fai o oedd hyn. Pa hawl oedd ganddi i ddifetha'i stori fawr a'i gyfle i ddianc? Oedd raid iddi fod wedi gwneud hyn? Wedi derbyn yr alwad nesaf roedd ei dymer yn corddi.

'*David*. Rown i'n gwybod yn iawn yn byddech yn difetha popeth a llusgo enw da'r papur trwy'r mwd. A thrwy lobscows eich bywyd personol, rydach chi wedi llwyddo i dynnu'r sylw i gyd oddi ar y stori go iawn. Clyfar iawn.

'Ond dyna fo. Rown i'n gwybod y gallwn i ddibynnu arnoch chi. Mi gawn ni drafod hyn ymhellach yfory, ar ôl imi siarad efo'r penaethiaid, achos mae ymddygiad fel hyn yn gwbl anfaddeuol. Y cam doethaf fuasai'ch tynnu chi oddi ar y stori yn gyfan gwbl, dwi'n meddwl. Peidiwch â meiddio bod funud yn hwyr bore fory, Smith.'

Gallai Dafydd ddychmygu Harri'n rhedeg i lawr y stryd yn gweiddi mewn llawenydd ac yn ysgwyd llaw gyda phawb ar ôl darllen y tabloid. Dyna pryd y berwodd ei dymer.

Onid oedd Anna'n sylweddoli ei bod yn difetha'i gyfle i ddianc o'r swydd yma a rhoi ail gyfle iddo'i hun? Roedd ei stumog yn corddi a'i galon yn curo fel piston. Ceisiodd dawelu'i nerfau wrth gerdded 'nôl a mlaen ar hyd ei fflat gan anadlu'n ddwfn ac ymdrechu reoli'i dymer. Lwyddodd o ddim.

Galwodd Anna ar y ffôn a chlywodd ei llais ar y peiriant ateb. Gadawodd neges chwerw a blin yn diolch yn fawr iddi am fod mor greulon, ac addawodd dalu'r pwyth yn fuan. Dywedodd nad oedd angen iddi gasglu gweddill ei dillad gan ei fod wedi eu taflu i gyd i'r bin sbwriel.

*   *   *

Prynodd y Casglwr gopi o bob papur dydd Sul, a hynny mewn gwahanol siopau rhag tynnu gormod o sylw ato'i hun. Yna aeth adref i'w ddarllen yn fanwl yn ei gegin dywyll tra oedd yn yfed te. Nid oedd unrhyw dystiolaeth bellach, a dim cysylltiad eto â marwolaeth y gohebydd ifanc, er i'r angladd gael ei ohirio'r diwrnod cynt. Clywodd hynny yn y siop wrth brynu bara.

Er fod y rhifynnau Sul yn rhoi mwy o sylw i'r hanes, roedd ambell un yn amau'r stori, a gwenodd yn llydan ar ôl darllen un o'r tabloids. Teimlai'n hapusach nag y teimlai ar y bore Sadwrn gan fod ganddo gynllun. Nawr roedd yn rhaid paratoi am y cyfarfod cyntaf a'r cipio nesaf.

*   *   *

Y teledu a hawliai sylw Dafydd bum awr yn ddiweddarach pan alwodd Chris ef ar ei ffôn symudol.

'Lle ti wedi bod? Dwi wedi bod yn ffonio'r fflat ers oriau. Cysgu'n hwyr, mae'n siŵr, ar ôl noson fawr neithiwr?' meddai Chris yn sychlyd.

'Nage, fel mae'n digwydd,' atebodd Dafydd yn bigog. 'Dwi wedi bod yn llnau'r fflat a gweithio yn fy stafall wely. Dwi ddim yn clywed y ffôn yn glir yn fanno, er mod i'n ama weithia fod fy nghlyw i'n mynd!'

'Diddorol fod yr heddlu wedi gofyn am ohirio angladd Calvin yndê,' meddai Chris, 'achos rhaid eu bod nhw'n meddwl fod angen archwilio'r corff eto. Gobeithio y cei di fwy o wybodaeth am hynna gan dy ffynhonnell yn yr heddlu. Mi fasa hynna jest y peth i hoelio'r stori a chau ceg Harri.'

Eglurodd Dafydd yn fras wrtho am y sgwrs a gafodd gyda Harri y bore hwnnw a'i fod yn bygwth tynnu'r stori oddi arno.

'Paid â phoeni am hynna o gwbl. Fasa fo ddim yn meiddio. Ti wedi sylwi faint o sylw mae'r papur wedi'i gael yn ddiweddar, a thrwy hynny *Com.Int.* hefyd? Paid anghofio fod hyn yn goblyn o hwb i werth eu cyfranddaliadau. A dy stori di ydi hi, wedi'r cyfan. Mi fydd yr holl hanes 'ma am Anna drosodd mewn diwrnod neu ddau, yn enwedig os galli di gynhyrchu ongl newydd ar y stori. A dwi'n siŵr na fydd hynny'n broblem iti.

'Dwi'n cyfadda nad ydi'r cwmni'n poeni dim amdanat ti. Y cyfan maen nhw eisiau 'i weld ydi'r cwmnïau eraill yn gorfod eu cydnabod nhw yn eu hadroddiadau. Mae'r stori yma'n werth ei phwysau mewn aur iti. Chwaraea di dy gardiau'n iawn, a phwy a ŵyr lle elli di fynd wedyn.

'Falla fod dy enw di'n cael ei lusgo trwy'r mwd ar hyn o bryd ond mae hynny, mewn rhyw ffordd ryfedd, yn cryfhau dy sefyllfa di efo Harri. A dyna'r cyfan sydd angen i ti boeni amdano ar hyn o bryd,' meddai Chris yn gysurlon.

Chwerthin wnaeth Dafydd. 'Digon hawdd i chdi ddeud hynna, tydi, achos fi 'di'r un sy'n cael ei alw'n bob enw dan haul. Mi fasa'n well gen i fynd ar y gyfres nesa o *Big Brother* na mynd trwy hyn. A beth bynnag, yr unig le dwi eisiau mynd ar ôl hyn ydi ar fy ngwylia. Dwi wedi rhoi cynnig unwaith ar Fleet Street, cofia.'

Tra oedd yn siarad gyda Chris, cerddai 'nôl a mlaen.

Yn sydyn, sylwodd am y tro cyntaf ar yr amlen frown ar y llawr. Rhoddodd y ffôn o'i law, a chodi'r amlen.

Ynddi roedd nodyn moel, wedi'i brintio, yn dweud os oedd Dafydd am gael mwy o wybodaeth am y diflaniadau, yna dylsai fynd ar ei ben ei hun at groesffordd ddiarffordd yn Nyffryn Conwy am ddau o'r gloch y pnawn hwnnw. Roedd bron yn ddau o'r gloch yn barod. Byddai'n berffaith ddiogel, meddai'n nodyn, a byddai'n derbyn gwybodaeth newydd allai fod o fudd i'r ddau ohonynt.

Am funud, credai Dafydd mai jôc oedd y nodyn tan iddo ddarllen y frawddeg olaf. *'Lwcus fod gan y ffermwr yna wn yn y cae yna bum mlynedd yn ôl pan ddihangodd y Sbaenwr.'*

Fferrodd gwaed Dafydd wrth ddarllen y geiriau. Doedd o ddim wedi sôn yn unlle fod y ffermwr yn arfog, nac o ba wlad y daethai'r bodiwr a lwyddodd i ddianc. Curai ei galon fel gordd, a chlywai sŵn pwmpio'r gwaed yn ei glustiau. Sylweddolodd fod y person hwn yn gwybod lle roedd yn byw, ac wedi bod at ddrws ei fflat yn ddiweddar iawn. Yn union fel gyda nodyn George Thomas yr holl flynyddoedd yna 'nôl, nid oedd stamp ar yr amlen.

Roedd yn gwybod lle roedd y groesffordd, ynghanol caeau moel gyda ffens o weiren lle na allai neb guddio tu ôl iddi.

'Dafydd. Ti'n dal yna?' Daeth llais Chris o gyfeiriad y ffôn. 'Dwed rhywbeth, wir Dduw, neu mi fydda i'n meddwl fod 'rhen Hannibal Lecter wedi galw heibio!'

Enw'r lladdwr llenyddol enwog a dynnodd sylw

Dafydd 'nôl i'r presennol. Er gwaethaf ei ofn, dim ond eiliad a gymerodd i benderfynu cadw'r nodyn yn gyfrinach am y tro.

'Ydw, dim ond meddwl be i neud nesa, a deud y gwir. Diolch iti am ffonio, ac mi wela i di yn y swyddfa ben bore fory. Hwyl!'

Roedd wedi penderfynu cwrdd ag awdur y nodyn, er ei fod bron yn sicr mai hwn oedd y dyn oedd wedi bod yn hela dynion yn y dyffryn ers blynyddoedd.

*   *   *

Gwenai'r Casglwr wrth edrych ar ei oriawr. Gorweddai yn y gwair, heb gymryd unrhyw sylw o'r gwlybaniaeth na'r oerfel. Mae'n rhaid fod y gohebydd wedi cael gormod o fraw ar ôl darllen y nodyn. Yn ei glust roedd meic bychan, tebyg i un chwaraewr CD personol.

Trwy hwn y gwrandawai ar alwadau'r heddlu i'w gilydd, a hyd yma doedd o heb glywed dim allan o'r cyffredin. O'i flaen roedd ffôn arall a sbienddrych y gellid ei ddefnyddio yn y tywyllwch, er nad oedd yr haul yn debygol o fachlud am oriau eto. Prin y gallai weld y groesffordd o'i lecyn ar ben y bryn dros filltir i ffwrdd, ond roedd yn fwy diogel fan hyn. Yna gwelodd gar yn gyrru'n wyllt at y groesffordd cyn parcio'n flêr. Cododd y sbienddrych, a chan gadw'i lygaid wedi'i hoelio ar y car, pwysodd fotwm ar y ffôn.

*   *   *

Safai Dafydd ger ei gar yn edrych i bob cyfeiriad. Roedd yr injan yn dal i redeg. Doedd o erioed wedi teimlo'r fath ofn – roedd yn waeth o lawer na'r ddamwain fynydda a gafodd un tro, pan fu'n rhaid mynd ag ef i'r ysbyty gan adael hanner ei ddannedd ar y graig.

Clywodd sŵn ffôn yn canu yn y ciosg oedd bron wedi'i guddio ar ochr y ffordd. Taflodd gipolwg i bob cyfeiriad cyn cerdded ato'n araf. Cododd y derbynnydd a chlywed llais metalig, aneglur, tebyg i un robot.

'Ydach chi ar goll, Mr Smith? Tydi hi ddim yn talu i ngwylltio i. Cofiwch hynny.'

'Pwy sy 'na . . .'

'Na! Fi sy'n siarad rŵan. Rydach chi wedi cael eich cyfle chi'n barod yn y papur ac ar y teledu a'r radio. Mae'n amlwg eich bod yn mwynhau'r sylw, ac yn mwynhau bod yn enwog, dwi'n meddwl. Dyna pam eich bod chi yma ar eich pen eich hun – yn anfodlon rhannu'r stori na'r sylw efo neb.

'Ond mae gen i rybudd ichi. Ddylsach chi ddim fod wedi nghroesi i, a nawr rhaid talu'r pris.'

Edrychodd Dafydd o'i amgylch yn wyllt wrth glywed chwerthin yn dod o ben arall y ffôn.

'Does dim rhaid ichi boeni amdanoch chi eich hun – wel, ddim yn ormodol o leia – ond falla y dylsach chi gadw golwg ar eich anwyliaid.'

Gyda'r rhybudd hwn roedd yr alwad ar ben. Gadawyd Dafydd yn sefyll yno'n chwys oer cyn iddo lamu i'r car gan gloi'r drws. Gyrrodd ar gymaint o ras nes bu bron iddo fynd i'r ffos. Ond doedd dim yn y byd fyddai wedi'i rwystro rhag ffoi o'r groesffordd arbennig yna.

18. Cipio

Yn y swyddfa, feiddiai neb o'r pump anadlu, bron, tra darllenai'r cyfreithiwr y ddogfen o'i flaen. Doedd neb wedi cael cyfle i fwynhau paned goffi gyntaf bore Llun, hyd yn oed, cyn i'r Golygydd eu galw ynghyd.

Roedd wedi cychwyn trwy fygwth Dafydd eto fod ei swydd mewn perygl ac nad oedd am gael parhau â'r stori. Ond wedi darllen adroddiad Dafydd am ei gyfarfod y diwrnod cynt, roedd wedi cynhyrfu'n lân.

Gyda Dafydd a Harri roedd Chris a'r dirprwy olygydd. Doedd dim golwg o Elen. Roedd hi wedi gadael ei ffôn yn fflat Dafydd nos Wener ac roedd yntau wedi addo ei ddychwelyd iddi yn y swyddfa. Gwingai wrth gofio iddi adael y fflat ar ras wyllt.

'Does dim rhaid ichi fynd at yr heddlu gyda'r wybodaeth yn syth, gan nad oes digon i roi unrhyw dystiolaeth newydd iddyn nhw,' meddai'r cyfreithiwr wrth wneud nodiadau.

'Ar y llaw arall, fy nghyngor i ydi dweud wrth pa bynnag swyddog sydd yng ngofal yr achos, gan y gallai fod o ddefnydd. Mi wnaiff stori dda i'r papur rywsut neu'i gilydd, a dwi'n siŵr na fydd yr heddlu'n or-awyddus i bobl wybod fod y person yma'n cael hwyl fel hyn.

'Hefyd, os bydd unrhyw gysylltiad pellach, mi ddylid dweud wrth yr heddlu ar unwaith neu o bosib gallai'r papur gael ei gyhuddo o geisio atal cwrs cyfiawnder.

194

Gyda llaw, mae'n rhaid i mi dy longyfarch di, Dafydd, ar ddilyn stori mewn ffordd mor drwyadl. Rwyt ti'n berson dewr iawn. Faswn i ddim wedi mynd yn agos at y groesffordd ar ôl derbyn gwahoddiad felna!'

Teimlai Dafydd ei hun yn cochi wrth glywed canmoliaeth y cyfreithiwr. Safai Harri wrth ochr hwnnw, bron yn neidio o un droed i'r llall ac yn ysu am gael dweud ei bwt. Gwisgai'r un dillad yn union â'r bore Llun blaenorol, ond fod ei sbectol wedi stemio gan ei fod yn chwysu gymaint.

'Reit, does neb i sôn gair am hyn. Dim un gair, iawn? Mae'n rhaid cadw'r cyfan yn gyfrinach tan ddydd Gwener. Os llwyddwn i wneud hynny, bydd stori'r flwyddyn gan y papur 'ma. Bydd yn rhaid i chi, David, gysylltu â'r heddlu, ond pwysleisio wrthyn nhw ein bod yn gwneud popeth i'w cynorthwyo. Felly mi rydan ni'n disgwyl na fyddan nhw'n datgelu'r wybodaeth yma i'r wasg na'r cyhoedd.

'Gwaith da iawn. Ond David, cofiwch gadw allan o'r newyddion rŵan. Dwi ddim eisiau gweld unrhyw stori am eich bywyd personol chi, na dim arall i dynnu oddi ar hyn. Gall stori fel hon roi hwb mawr i ni fel papur. Mae 'na lot yn dibynnu ar hon, dim llai na dyfodol y papur hyd yn oed. Dwi'n siŵr fod pawb yn deall hynny.'

Nid oedd gan Dafydd y bwriad lleiaf o roi unrhyw gyfle i straeon eraill gael eu cyhoeddi amdano, ond y tro hwn doedd fawr o ddewis ganddo.

*   *   *

Teimlai'r Casglwr yr un mor hapus y funud honno wrth eistedd yn ei gar yn darllen papur newydd gan wylio drws tŷ yn ofalus. Roedd wedi parcio y tu ôl i fan wen fel na allai neb yn y tŷ ei weld.

Pwysai'r papur ar yr olwyn lywio ac roedd bysedd ei law chwith yn y faneg ledr yn drymio'n ddistaw ar ei goes. Teimlai'n hapus gan ei fod yn gwybod yn union beth i'w wneud nesaf. Gwyddai y gallai apelio at y gwendid arferol o ddyheu am sylw, enwogrwydd neu rywbeth gwirion tebyg.

Stemiai coffi mewn cwpan blastig â chaead bregus arni ar y sedd wrth ei ochr, ac roedd gweddillion brechdan wy wedi chwalu dros ei lin – ond doedd dim amser i'w lanhau ar hyn o bryd.

Roedd ei gynllun i ddelio â'r gohebydd yn un da, ond ni fyddai unrhyw ddrwg mewn trefnu cynllun wrth gefn chwaith. Allai o fyth ddweud beth ddigwyddai nesaf. Ni chredai fod angen y gyllell arno y tro hwn, ond roedd hi dan sedd y car fel arfer – rhag ofn.

*   *   *

Safai'r merched gweini yn siarad ac ysmygu yn yr union le y gwelodd Dafydd nhw y tro diwethaf yn y caffi. Trwy gornel ei lygaid gwelodd un yn pwyntio ato wrth sibrwd yng nghlust ei ffrind. Aeth draw ar ei union at Ifan oedd wrth yr un bwrdd ag o'r blaen. Anodd credu fod cymaint wedi digwydd mewn wythnos.

Dywedodd yn fras wrth Ifan beth ddigwyddodd y diwrnod cynt, a derbyn y cerydd roedd wedi'i ddisgwyl am wneud hynny.

'Os mai hwn ydi o, a fedrwn ni ddim bod yn siŵr o hynny eto, cofia, yna mi allai dy fywyd di wedi bod mewn perygl. Mi all fod mewn perygl o hyd. Paid byth â gwneud rhywbeth gwirion fclna eto, achos mae hwn wedi lladd fwy nag unwaith, heb feddwl eilwaith. Unwaith mae rhywun wedi croesi'r ffin yna, does dim troi 'nôl. Tydi dy fywyd di – mwy nag un neb arall – yn golygu dim iddo fo. Paid â meddwl am eiliad ei fod o'n ffrind i ti, na dy fod am gael triniaeth wahanol am dy fod yn ohebydd sy'n rhoi enwogrwydd iddo fo.'

'Dwi'n dallt hynna yn berffaith glir erbyn hyn a dwi'n methu credu mod i wedi gwneud y fath beth gwirion. Wnaiff o ddim digwydd eto, ac os clywa i air ganddo fo eto, mi gysyllta i efo chdi'n syth,' atebodd Dafydd yn wylaidd. 'Oes ganddoch chi unrhyw syniad pwy sy'n gyfrifol am hyn, neu oes 'na unrhyw drywydd newydd i'w ddilyn? Mae'n siŵr nad oedd yna unrhyw olion ar yr amlen na'r nodyn ges i – byddai hynny'n ormod i'w ofyn.'

'Hyd yma nagoes, a na, doedd dim byd ar y rheiny chwaith. Mae'r proffilwyr yn dweud ein bod yn chwilio am ddyn canol oed, sy'n debygol o fod yn byw ar ei ben ci hun, sydd hefyd yn groenwyn ac wedi byw yn yr ardal ers blynyddoedd. Dyn cryf yn gorfforol, ac yn ffit, ac sydd hefyd yn debygol o feddu ar sgiliau gyda morthwyl, lli ac ati. Efallai ei fod yn weithiwr coedwigaeth ac mae'n debygol iawn o fod yn alluog, dipyn mwy na'r cyffredin.

'Mae'n amlwg ei fod o'n gyfarwydd iawn â dulliau'r heddlu i fod wedi osgoi cael ei ddal cyhyd, a rhywsut mae'n llwyddo i ddod i gysylltiad â phobl ifanc sy'n teithio ac yn ennill eu hymddiriedaeth yn fuan. O bosib rydan ni'n chwilio am yrrwr lorri sy'n gyrru'n aml trwy'r gogledd. Rydan ni'n holi'r cwmnïau masnachu ar hyn o bryd ac am edrych ar record pob gyrrwr gan ganolbwyntio ar y rhai sy'n byw yn lleol.'

Daliodd Ifan ei ddwylo ar led, a gwelai Dafydd ei fod dan dipyn o straen.

'Felly nes iddo fo wneud y cam nesaf a chipio rhywun arall mae'n rhaid i ni eistedd 'nôl a disgwyl,' meddai Dafydd. 'Dwi'n meddwl fod hynna'n beth cwbl hurt i'w wneud. Ac mi all rhywun arall gael ei ladd hefyd. Paid anghofio hynny.'

'Beth arall wyt ti'n ei awgrymu 'te?' gofynnodd Ifan. 'Does dim cliwiau wedi dod o'r archwilion fforensig, a tydi dy ymchwil di i'r hen stori 'na heb roi unrhyw beth newydd i ni chwaith.'

'Dwi'n meddwl fod rhaid i ni weithredu rŵan, ar frys, cyn i rywun arall gael ei ladd,' meddai Dafydd. 'Os ydi o wedi cysylltu efo fi'n barod, yna mae'n debygol iawn y bydd yn cysylltu eto. Yn amlwg mae o'n gwybod pwy ydw i a lle dwi'n byw. Beth am drio'i ddenu i drap?'

Crychodd Ifan ei dalcen ond ni ddywedodd yr un gair. Penderfynodd Dafydd gynnig ei gynllun iddo i weld beth fyddai ei ymateb.

'Beth am iti gyhoeddi mewn datganiad i'r wasg eich bod chi'n mynd ar ôl trywydd newydd, sydd wedi'i ganfod gan ohebydd papur lleol, a bod a wnelo hynny â hen gofnodion yn Lerpwl. O bosib bydd hynny'n ei ddychryn ac y bydd yn dod i chwilio amdana i i weld yn union beth ydi'r dystiolaeth yma.'

'Mae'n syniad da, ar yr olwg gyntaf,' meddai Ifan. 'Ond beth os caiff o fraw wrth glywed hynna, a'i fod yn penderfynu ffoi o'r ardal am byth? Wnawn ni fyth ei ddal o wedyn.'

Gwenodd Dafydd. Roedd wedi meddwl am y cynllun yn ofalus iawn byth ers y sgwrs ffôn oeraidd a gafodd ar y groesffordd.

'Ydi, mae hynny'n risg, dwi'n cyfaddef. Ond rydan ni hefyd yn cytuno mai rhywun sy'n byw yn yr ardal hon sydd y tu ôl i hyn i gyd. Tydi hi ddim yn ardal fawr o bell ffordd. Os bydd o'n penderfynu gadael a dianc i ardal arall, yna gallwn chwilio i weld pa drigolyn lleol sy wedi diflannu trwy wneud apêl ar i bob dyn rhwng 45 a 65 oed ddod ymlaen i gymryd rhan mewn prawf DNA.

'Os dywedwn ni fod tystiolaeth DNA wedi dod i'r golwg, yna gallwn ofyn i'r dynion hyn – ac mae'n rhaid mai rhywun yn yr oedran yma sy'n gyfrifol – gymryd rhan. Trwy edrych ar restrau etholwyr a'r llyfr ffôn, mi welwn yn fuan iawn os oes rhywun lleol ar goll, ac wedyn bydd enw a disgrifiad diweddar ganddon ni.'

'Cynllun da,' meddai Ifan. 'Ond beth os nad ydan ni'n ei ddychryn a'i fod yn cymryd rhan yn y prawf? Beth wedyn? Mi fyddwn wedi rhoi lot fawr o egni ac amser i mewn i'r cynllun tra bydd y person yma'n chwilio am ei darged nesaf.'

'Mae hynna'n ddigon posib hefyd, tydi, achos mae'n debygol iawn fod nerfau cryf ganddo fo ac nad ydi o'n dychryn yn hawdd,' meddai Dafydd yn ofalus.

'Ond fyddwn ni heb golli dim os digwyddith hynny,' aeth yn ei flaen, 'ac mae'n gyfle i roi pwysau arno fo a gwneud rhywbeth positif am y tro cyntaf yn yr ymchwiliad. Gallwn wneud iddo deimlo fod yr heddlu ar ei gynffon ac nad oes unrhyw le iddo ddianc. Hyd yma, fo sy'n gweithredu a ninnau'n ei ddilyn fel llo bach; dwi'n siŵr fod hynny'n rhoi teimlad o bŵer iddo fo wrth weld pawb yn dawnsio i'w gân. Ac mae'n gweld ar y cyfryngau fod yr heddlu dan bwysau, ond fawr nes at y lan.

'Ar hyn o bryd, mae o'n siŵr o fod yn teimlo'n ddiogel, yn anweledig hyd yn oed, ac yn chwerthin ar ben bawb. Ond mi fasai cyhoeddiadau o'r fath yn siŵr o fod yn tynnu dipyn o bwysau oddi ar eich sgwyddau chi yn yr heddlu ac yn dangos i'r cyhoedd eich bod chi'n gwneud rhywbeth positif.'

Ddywedodd Ifan 'run gair am funud neu ddwy wrth iddo ystyried cynllun Dafydd yn ofalus, gan chwilio am wendidau ynddo. A rhaid oedd cyfaddef ei fod yn siarad llawer o synnwyr; hyd yma, dilyn dawns yr heliwr oeddan nhw, ac roedd y pwysau'n cynyddu arno bob awr i ddatrys y dirgelwch.

'Os wyt ti'n hapus i fod yn abwyd mewn cynllun o'r fath,' meddai wrth Dafydd, 'yna dwi'n gweld y gallai weithio, neu gallwn o leia roi pwysau arno fo gan obeithio y gwnaiff hynny achosi iddo fo faglu. Ond cofia, unwaith y cyhoeddwn ni hyn, does 'na ddim troi 'nôl i ti a fydd hi ddim yn cymryd lot o ddychymyg i ddeall mai chdi ydi'r gohebydd lleol rydan ni'n sôn amdano fo.

'Ti'n siŵr o gael lot o sylw, a chael dy boeni hefyd, yn sgil hyn a dwi am i ti feddwl yn ddwys iawn am y peth. Nid rhyw ffilm ydi hi lle ti'n siŵr o gael diweddglo twt, chwaith, efo pawb yn hapus a'r arwr yn cipio'r ferch,' rhybuddiodd Ifan.

'Dwi'n dallt hynny'n berffaith, ond dwi'n awyddus iawn i helpu i ddal pwy bynnag sy'n gyfrifol,' atebodd Dafydd. 'A dwi'n fwy na bodlon cynnig fy hun fel abwyd i geisio'i ddal o. A deud y gwir, dwi'n teimlo fel abwyd yn barod gan fod hwn yn gwybod lle dwi'n byw ac yn f'adnabod. Does gen i ddim syniad sut mae o'n edrych, ac os na wna i rywbeth positif, mi fydda i'n teimlo fel *sitting duck* yn fan'ma yn disgwyl iddo fo gymryd ei gam nesaf.'

Gwenodd Ifan. 'Mae 'na ddeunydd llyfr yn fan hyn yn sôn am brofiadau'r gohebydd arwrol,' meddai.

'Synnwn i ddim,' cytunodd Dafydd. 'Ond arestio pwy bynnag sy'n gyfrifol ydi'r peth hollbwysig rŵan. Dwi wedi darllen cryn dipyn am y math yma o berson, ac mae'n debygol iawn mai lladd wnaiff o eto.'

'Cyn belled â dy fod yn deall y sefyllfa,' meddai Ifan. 'Mi a' i ati rŵan i roi'r straeon ar y gweill. Ac mi drefnaf i swyddogion arfog dy warchod di hefyd. Dwi ddim eisiau dy weld mewn ysbyty, nac yn rhedeg o gwmpas y lle ar dy ben dy hun fel rhyw Sherlock Holmes chwaith.'

Er ei fod yn hapus fod yr heddlu am ddilyn ei gynllun, nid oedd Dafydd erioed wedi teimlo cymaint o ofn yn ei fywyd.

19. Y TRAP

Daeth y bwletin newyddion chwech o'r gloch i ben gyda rhagolygon y tywydd, a rybuddiai fod mwy o law trwm i ddod. Cododd y Casglwr i dywallt cwpanaid arall o goffi chwerw o'r pot haearn bychan llawn tolciau a brynodd rywdro mewn marchnad ym Mae Colwyn.

Cynhyrfwyd ef gan y bwletin newyddion, a dechreuodd bwyso a mesur yr hyn roedd newydd ei glywed. Pa dystiolaeth newydd allai'r heddlu fod wedi ei darganfod? A pam roedden nhw'n gofyn i ddynion lleol o oedran arbennig i gymryd prawf DNA? Roedd yn siŵr nad oedd erioed wedi gadael unrhyw olion, ond eto – gyda'r dechnoleg ddiweddara – roedd unrhyw beth yn bosibl.

Ond yn bwysicach fyth oedd yr hyn a glywodd y gohebydd tra oedd ar ei ymweliad â Lerpwl. Roedd y Casglwr yn siŵr nad oedd yna'r un llun yn bodoli o'r cyfnod – ond beth os cafodd ddisgrifiad ohono, neu fod rhyw dystiolaeth newydd amdano wedi dod i'r golwg?

Gwyddai i'r gohebydd fod yn Lerpwl yr wythnos cynt, felly. Gwaeddai llais yn ei feddwl arno i neidio i'r car a gadael ar unwaith. Pwyllo fasai gallaf, meddai ei brofiad. Gyda'i waith byddai ffoi yn wirion ac yn gwneud dim ond tynnu sylw. Na. Aros lle'r oedd a chadw'n dawel fyddai ddoethaf. Wedi'r cyfan, roedd hyn wedi gweithio o'i blaid yn y gorffennol.

Roedd yn rhaid gwybod pa dystiolaeth oedd gan

Dafydd Smith – a phwy well i ddweud wrtho na'r gohebydd ei hun?

* * *

Penderfynodd Dafydd aros yn y swyddfa drwy'r pnawn gan wybod fod y ddau heddwas arfog oedd yn ei gysgodi yn corddi'r Golygydd. Gwelai Harri ei gyfle i wneud ei farc ar ei Uwch-Olygydd yn y cwmni yn diflannu fel mwg, gan fod papurau newydd eraill yn siŵr o fachu ar y stori cyn dydd Gwener.

Eisteddai trydydd heddwas yn yr ystafell yn barod i recordio pob galwad a dderbyniai Dafydd a cheisio'u holrhain i'w tarddiad. Roedd Elen adref yn sâl, yn ôl Charlie, ac addawodd Dafydd y byddai'n ei ffonio unwaith roedd yr ystafell newyddion yn tawelu rhywfaint.

Canodd y ffôn. Roedd wedi bod yn canu fel cloch gafr fynydd wyllt trwy'r pnawn, a chododd Dafydd ef heb feddwl eilwaith. Charlie oedd ar y ffôn o'r dderbynfa yn dweud fod pecyn wedi cyrraedd iddo o'r Cyngor Sir – cofnodion y cyfarfod diwethaf, mae'n debyg.

Aeth draw ati i'w nôl, ac wrth iddo godi'r pecyn canodd ffôn Charlie ac atebodd hithau'r alwad cyn rhoi'r derbynnydd yn llaw Dafydd.

'Rhywun isio siarad efo chdi – un o dy ffrindia, medda fo. Prin dwi'n dallt gair mae o'n ddeud, ond tydw i'n synnu dim os ydi o'n un o dy ffrindia di,' meddai'n haerllug wrth iddo gymryd y ffôn ganddi.

Adnabu Dafydd y llais ffug ar unwaith; roedd yn

siarad Saesneg ac wedi'i fygu gan hances. Edrychodd Dafydd o'i amgylch. Eisteddai'r heddwas arall y tu allan mewn car a chododd ei law arno.

'Peidiwch â deud gair,' meddai'r llais, 'a gwrandewch yn ofalus. Dwi wedi cael fy siomi, Mr Smith, a finna'n meddwl ein bod ni'n deall ein gilydd ac wedi dod i gytundeb. Rydych chi wedi torri'r fargen unwaith eto.

'Mae'n ymddangos eich bod yn hoff iawn o gael sylw. Ond byddwch yn ofalus – weithiau mae'r hyn rydych yn ei ddymuno yn cael ei wireddu. Gallai eich gwneud chi'n enwog, ond tybed a ydych chi'n fodlon talu'r pris?

'Cadwch gynnwys y pecyn rydych newydd ei dderbyn yn ofalus, a dilynwch y cyfarwyddiadau – er eich lles eich hun a lles yr un rydych yn ei charu. Fel y gwelwch, mi alla i gyffwrdd â chi pryd bynnag dwi'n dewis. Oeddech chi'n arfer hoffi noson tân gwyllt, Mr Smith?'

Daeth yr alwad i ben gyda sŵn chwerthiniad maleisus y Casglwr yn atseinio trwy ben Dafydd.

*　　　　*　　　　*

Er gwaethaf y rhybudd, dywedodd Dafydd y cyfan am yr alwad ffôn wrth yr heddwas ac fe gafodd y pecyn ei anfon ar unwaith i gael ei archwilio gan arbenigwyr difa bomiau.

Roedd yn dal i grynu pan ddaeth galwad arall gan Charlie yn dweud fod pecyn arall tebyg â'i enw arno wedi cyrraedd. Y tro hwn, aeth yr heddwas i'r dderbynfa gan roi galwad i'r un oedd y tu allan, i'w rybuddio i gadw golwg ar flaen yr adeilad. Aeth y swyddog oedd yn gwrando ar y ffôn allan hefyd i geisio tapio unrhyw alwad.

Canodd ffôn symudol Dafydd, a gwelodd mai Ifan oedd yno.

'Dafydd. Newyddion da! Mae'r archwiliad golau uwch-fioled wedi taro'r jacpot! Roedd ôl ysgrifen ar yr amlen a'r parsel gafodd ei anfon atat ti. Mae'n debyg fod pwy bynnag anfonodd hwn wedi pwyso ar y parsel i arwyddo siec banc ac wedi rhoi ei gyfeiriad arno hefyd!

'Dyna'r union fath o gamgymeriad roeddet ti'n rhag-weld y byddai'n ei wneud dan bwysau! Mi ddylset ti ystyried bod yn blismon unwaith mae'r achos yma o'r ffordd! Aros di lle'r wyt ti am y tro. Rydan ni ar ein ffordd draw yna rŵan. Dwi'n meddwl ein bod ni wedi llwyddo efo'r achos yma, diolch am dy help di.'

Teimlai Dafydd yn hapus, ond rhywsut yn wyliadwrus hefyd. Roedd popeth wedi digwydd mor gyflym ac mor hawdd. Yn rhy hawdd o lawer . . .

'Mae pecyn arall newydd gyrraedd ond mae dy blismyn di'n delio efo hwnnw ar hyn o bryd,' ychwanegodd Dafydd.

'Gad bopeth iddyn nhw, Dafydd. Dyna'r peth diogela i'w wneud tan fydd hwn dan glo, a fydd hynny ddim yn rhy hir rŵan,' meddai Ifan gan weiddi siarad uwchben sŵn teiars ei gar yn sgrechian wrth sgrialu rownd corneli.

'Pan rydach chi wedi arestio rhywun, gad i mi

wybod ar unwaith. Cofia mai fy stori i 'di hon! Ond fi yn blismon? Byth! Mi faswn i wedi rhoi'r cwbl lot ohonach chi ar y clwt ymhen dim amser!'

Aeth Dafydd draw i ddweud wrth yr heddwas am y datblygiad diweddaraf cyn cael paned a sgwrs sydyn gyda Chris. Er ei waethaf, dechreuodd ymlacio a hanner breuddwydio am yr erthygl roedd am ei hysgrifennu. A beth am lyfr yn crynhoi'r cyfan hefyd?

Tra oedd yn eistedd ar ddesg Chris, daeth galwad ffôn arall. Rhingyll o swyddfa Ifan oedd yno, yn dweud fod car heddlu'n disgwyl amdano yng nghefn yr adeilad ac iddo fynd ar unwaith os oedd yn awyddus i fod y gohebydd cyntaf i weld y cyrch. Byddai pâr newydd o blismyn yn ei warchod am weddill y dydd, meddai.

Aeth Dafydd yn syth trwy'r allanfa dân yng nghefn yr adeilad a gwelodd y car glas yno, y golau'n fflachio'n fud ddiog ar y to. Roedd y drws cefn yn groes i sedd y gyrrwr ar agor. Eisteddodd Dafydd yn y car gydag ochenaid, gan gau'r drws yn glep.

'*Home James,*' meddai gan bwyso'i ben ar gefn y sedd. Agorodd ei lygaid. Am eiliad, credodd ei fod yn breuddwydio wrth i bopeth ddigwydd yn ara deg.

Roedd yr heddwas yn y sedd flaen yn pwyntio dryll tebyg i un cowbois tuag ato. Gwaeddai orchymyn arno i orwedd ar y llawr. Teimlai Dafydd fel petai amser yn arafu. Gallai arogli disinffectant ac oel cryf, fel y stwff oedd yn gollwng o injan ei hen gar.

Dechreuodd ddadlau, ond fe'i trawyd yn ddirybudd ar ochr ei ben. Fe'i tynnwyd i'r llawr gerfydd ei wallt gyda baril y gwn wedi'i stwffio i mewn i'w glust gan grafu'r croen yn boenus. Teimlodd bâr o efynnau dur yn cau am ei ddwylo cyn iddo gael ei daro eto ar ochr ei ben.

*   *   *

Daeth Dafydd ato'i hun gyda sŵn undonog yn canu yn ei glustiau, fel y cerdyn prawf a welid cyn rhaglenni ar y BBC pan oedd yn blentyn, cyn dyfodiad teledu 24 awr. Roedd ochr ei wyneb yn stiff fel petai mwd wedi sychu arno a theimlai fel petai ar fin cyfogi. Eisteddai ar gadair bren, ei ddwylo wedi'u rhwymo y tu ôl i'w gefn. Roeddent yn cyffio'n barod. Roedd yr awyr yn oer a llaith. Tywynnai lamp gref yn ei wyneb, ond wrth iddo droi ei ben gallai weld ei fod mewn ystafell fawr, eang â tho uchel iddi.

'Effro o'r diwedd, dwi'n gweld. Mae'n ddrwg gen i am orfod eich taro chi fel yna, ond doedd gen i fawr o ddewis a deud y gwir gan nad oeddech chi'n cyd-weithredu.'

Ni allai Dafydd weld pwy bynnag oedd yn siarad, gan ei fod yn sefyll y tu ôl i'r golau. Roedd y llais yn ei atgoffa o rywun, ond ni fedrai yn ei fyw â chofio pwy. Yr acen ryfedd 'na. Wrth iddo geisio symud yn ei sedd, teimlai rywbeth bychan caled yn ei boced ôl.

'Yn anffodus, does gen i fawr o amser i fân siarad, felly beth am fwrw mlaen? Mi sylwch nad oes cadach ar eich ceg, a hynny am y rheswm syml nad oes neb yn ddigon agos i glywed pa bynnag sŵn rydech yn debygol o'i wneud. Ac mi wnewch chi sŵn, credwch chi fi!

207

'Cofiwch hefyd nad oes neb yn gwybod lle rydech chi, ac ond i chi ateb fy nghwestiynau mi gewch fynd yn rhydd.'

Roedd y llais wedi symud yn bellach i ffwrdd a chlywai Dafydd y dyn yn codi rhywbeth trwm, haearnaidd ei sŵn, a'i lusgo draw.

'Ydach chi'n hoff o ffilmiau, Mr Smith? Wnaeth yr olygfa yn *Reservoir Dogs* lle mae'r heddwas yn cael ei arteithio trwy rwygo'i glust oddi ar ei ben droi arnoch chi o gwbl? Dwi ond yn sôn fel eich bod yn gwybod beth sydd am ddigwydd i chi nesaf.'

Gwelai Dafydd lafn rasal yn sgleinio yng ngolau'r lamp lai na dwylath o'i wyneb.

'Rŵan, yr oll dwi angen ei wybod ydi hyn. Pa wybodaeth newydd oeddet ti am ei rhoi i'r heddlu – neu falle dy fod wedi gwneud yn barod? Bydd dy fywyd di dipyn haws os byddi di'n rhannu'r wybodaeth yna heb geisio bod yn arwr.'

Doedd Dafydd ddim yn amau am eiliad na fasai'n gwireddu ei fygythiad, ac roedd chwys oer yn rhedeg i lawr ei gefn a'i anadl yn hercian yn ei wddf sych. Ond roedd ei law wedi bod yn teimlo'r lwmp yn ei boced a sylweddolodd yn sydyn mai ffôn Elen oedd o – yr un bach arian roedd hi wedi'i adael yn ei fflat nos Wener.

Trwy deimlo'i bocedi gwyddai fod ei ffôn ef a'i waled un ai wedi disgyn allan neu wedi eu cymryd gan bwy bynnag oedd yn bygwth gwneud van Gogh arno.

'Wyt ti wedi colli dy dafod? Wel, ddim eto – dwi'n gwybod hynna. Oes gen ti rywbeth i'w ddweud wrtha i?'

Dechreuodd Dafydd faglu siarad, ond roedd ei lais mor floesg fel na allai ddweud gair yn glir.

'Da iawn. Rwyt ti wedi penderfynu siarad. Dewis doeth. Aros di yna y fan yna tra dwi'n nôl diod o ddŵr i ti.'

Gweddïai Dafydd fod ffôn Elen 'run fath â'i un ef a bod digon o fatri ar ôl ynddo. Tynnodd anadl ddofn a theimlo'r botymau. Dyna waelod y ffôn, felly y rhes isaf ond un a'r botwm ar y dde ddylai fod y rhif naw. Gwasgodd ef deirgwaith, gan weddïo fod yr alwad yn mynd ar ei hunion i'r gwasanaethau brys. Clywodd gamau'r gŵr yn dod yn nes. Daliwyd cwpanaid o ddŵr o flaen ei wefusau a llyncodd Dafydd dair cegaid o ddŵr oer yn farus flêr. Dechreuodd siarad yn uchel, gan obeithio fod rhywun o fewn clyw y pen arall i'r ffôn.

'Mi wna i siarad, ond plis peidiwch â fy lladd i fel y lleill. Chi laddodd y bodiwr oedd ar y rheilffordd, yndê? Dim ond gohebydd ar bapur newydd y *Coast Weekly* ydw i. Plîs peidiwch â'm lladd i fel gwnaethoch chi efo pawb arall.'

'Wel, mae dy dafod di wedi hen lacio – a llacio gormod hefyd, dwi'n meddwl – ond mae hynna'n well i dy iechyd di, meddan nhw, na chadw popeth tu fewn.'

'Plîs peidiwch â fy lladd i! Mi ddyweda i unrhyw beth wrthoch chi, ac mae'n ddrwg iawn gen i am ysgrifennu'r straeon yna yn y papur. Dim ond gwneud fy ngwaith rown i. Fel arall, mi faswn yn colli fy swydd, a dwi mewn gormod o ddyled i fod yn ddi-waith.'

Ceisiai Dafydd roi digon o wybodaeth i bwy bynnag,

os rhywun, oedd yn gwrando ar yr alwad ffôn, tra ar yr un pryd yn ceisio swnio fel rhywun diniwed rhag i'r gwallgofddyn yma ei anafu.

'Yr heddlu wnaeth fy mherswadio i gymryd rhan yn y stori i geisio dal y llofrudd; does dim tystiolaeth newydd, dim ond ceisio eich dychryn. Ac mi wnaethon nhw fy ngorfodi i gymryd rhan.' Cofiodd Dafydd iddo ddarllen yn rhywle fod y celwydd gorau yn cynnwys elfennau o wir bob tro.

'Felly rwyt ti'n ymddiheuro am ysgrifennu'r straeon yna? Ond mae'n rhy hwyr erbyn hyn. Mae'n amlwg dy fod jest â marw, maddeua'r gair, i wneud enw i ti dy hun a bod yn enwog. Tybed beth yn union wyt ti'n fodlon ei gynnig am hynny? Pa bris wyt ti'n fodlon ei dalu? Beth faset ti'n ei wneud taswn i'n garcharor iti y funud yma? Bydd yn onest rŵan!'

Unwaith eto yr hanner-chwerthin oeraidd yna gan y Casglwr.

'Mae gen ti ddewis y funud yma. Mi alla i dy wneud yn enwog am byth ond, os byddi di'n dewis gadael i fi ddianc, yna mi fyddi'n ennill llawer mwy. Dwi'n addo hynny. Dewisa'r llwybr amlwg, ac mi gei di enwogrwydd, ond mae'n rhaid i mi dy rybuddio fod y pris yn ddrud. A chofia hyn – beth bynnag wyt ti'n ei wneud, fi fydd yn ennill yn y diwedd, pa lwybr bynnag wyt ti'n ei ddewis.

'Ond dwi'n gallu gweld yn dy lygaid dy fod yn dyheu am gael bod o flaen y camerâu eto, yn dwyt? Ar dudalennau blaen y papurau newydd, a phawb yn dy adnabod di wrth iti gerdded trwy drefi a dinasoedd.'

210

Tra oedd yn siarad dilynai Dafydd y llafn sgleiniog yn llaw y llais â'i lygaid. Symudai 'nôl a mlaen fel pendil cloc. Yna, am amser hir, ddywedodd yr un o'r ddau air o'u pennau. Clywai Dafydd ei galon yn dyrnu'n boenus, ond ni fedrai dynnu ei lygaid oddi ar y llafn a ddeuai'n nes ac yn nes.

Torrwyd ar draws y tawelwch poenus gan gloch debyg i gloch eglwys yn canu uwchben. Ar unwaith cododd y Casglwr ei ben a throi at Dafydd. Fflachiai llafn y rasal henffasiwn trwy'r golau cryf gan orffwys wrth wddf Dafydd. Teimlai yntau'r llafn yn torri'r croen yn ysgafn, bron yn gariadus.

'Rwyt ti wedi dewis, felly? Dewis byw? Wyt, ond falle y byddi di'n fy rhegi'n fuan iawn am beidio â dy ladd di heno. Mwynha dy lwyddiant, a gwna'n fawr ohono. Mi fyddi di'n talu'n ddrud amdano,' meddai'r Casglwr cyn llacio'r pwysau ar y llafn a rhedeg i'r tywyllwch.

Clywodd Dafydd sŵn drws yn agor dan wichian wrth i forthwyl trwm daro'n ei erbyn, a sŵn traed yn rhedeg ar loriau cerrig uwch ei ben. Daeth sŵn traed i lawr grisiau cerrig a chlywodd eiriau y bu'n dyheu amdanynt,

'Dyma fo – lawr fan hyn yn y selar! Dewch â'r medic hefyd rhag ofn.'

Roedd Dafydd wedi bwriadu swnio'n arwrol ddewr gan eu cyfarch trwy ofyn lle roedden nhw wedi bod gyhyd, ond y cyfan a wnaeth oedd llewygu yn y fan a'r lle.

20. DAN GLO

Eisteddai Dafydd ar y wal ger cartref ei gyfaill, yn mwynhau hufen iâ, pan gyrhaeddodd Ifan mewn car gyda heddwas arall. Roedd y doctoriaid wedi mynnu ei gadw yn yr ysbyty dros nos, ond dihangodd oddi yno'r bore wedyn.

'Dwi'n falch dy fod ti wedi ffonio, achos rown i'n dechra poeni amdanat ti'n diflannu fel'na o'r ysbyty heb rybudd. Rwyt ti'n dechra gwneud hynna'n rhy aml 'sdi,' meddai Ifan gan godi'i fawd ar y heddwas arall aeth 'nôl i eistedd yn y car.

'Ddrwg gen i am hynna,' meddai Dafydd, 'ond roedd gormod o bobl o amgylch y lle a phawb yn holi, a gohebwyr pob tabloid dan haul yn trio sleifio i'r stafell. Oni bai ei fod o mor ddifrifol, mi fasai'n reit ddoniol, fel golygfa o hen ffilm *Carry On*! Ond mae 'na lot o gwestiynau dwi eisiau atebion iddyn nhw hefyd, heb sôn am feddwl sut dwi am ysgrifennu'r stori 'ma rŵan.'

'Mi ddyweda i bopeth rydw i'n ei wybod, felly,' meddai Ifan. 'Newidiodd Louis Cypher Dixon ei enw i Milton Cody tua'r cyfnod y symudodd yma i fyw. Rydan ni'n berffaith sicr mai fo sydd y tu ôl i'r holl ymosodiadau 'ma.

'Roedd ei broffil yn ffitio'r disgrifiad yn berffaith, ac fe ddaethon ni o hyd i dri deg a saith oriawr – ambell un ohonyn nhw'n rhai oedd yn boblogaidd yn y saith degau cynnar. Rydan ni'n credu iddo gymryd oriawr oddi ar bob person laddodd o, fel rhyw gasglwr od.'

'Pam gwneud hynny? Roedd o'n beth peryglus iawn i'w wneud.'

'Trwy gadw darn o eiddo'r bobl yma, mae'n debyg ei fod yn credu ei fod yn cadw meddiant ar eu hysbryd nhw hefyd. Casglu eu hysbrydion, falle.

'Roedd o hefyd yn llwyddo i gipio pobl trwy wisgo fel heddwas – roeddet ti yn llygad dy le yn y fan yna. Mi fu'n gweithio yn swyddfa'r heddlu fel gofalwr rywbryd, ac mae'n debygol iawn mai dyna pryd y dinistriodd o rai o'r ffeils 'na oedd ar goll.'

'Sut daethoch chi i'r tŷ mor gyflym?' holodd Dafydd. 'Dim ond munud neu ddau fues i'n siarad efo fo ar y ffôn.'

Chwerthin wnaeth Ifan.

'Roedd yr alwad dipyn hirach na hynna. Rydan ni'n gallu olrhain galwad mewn tua hanner munud y dyddia yma, ond mae'n cymryd tri munud efo ffôn symudol.

'Ond yn syth ar ôl i ti ddiflannu fe wnes i gysylltu efo pob cwmni symudol ac anfon heddweision allan mewn ceir drwy'r ardal, achos roedden ni'n siŵr nad oedd o wedi mynd â chdi'n bell iawn. Syniad da iawn, gyda llaw, ocdd defnyddio ffôn Elen, er dy fod ti'n lwcus na ddaeth o o hyd iddo fo. Ond nid dyna wnaeth dy achub di. Gan fod y ffôn ymlaen, roedden ni'n gallu olrhain dy leoliad di drwy'r rhwydwaith symudol. Tric drud, ond yn werth bob ceiniog!'

Eisteddodd Dafydd 'nôl ar y wal gerrig gan roi ei ben yn ei ddwylo ac ochneidio'n ddwfn.

'Esgusoda fi am funud, dwi'n meddwl fod 'na alwad imi,' meddai Ifan gan gerdded at ei gar lle safai'r heddwas arall yn dal ffôn radio'r car. Cymerodd Ifan y derbynnydd a gwrando'n astud. Yna trodd ar ei sawdl i edrych ar Dafydd ac ysgwyd ei ben mewn anghrediniaeth. Cynheuwyd chwilfrydedd Dafydd, ond daeth sŵn car yn nesáu i foddi sgwrs Ifan.

Sylwodd Dafydd ar y car yn parcio nesaf at y car heddlu – yr un car yn union, bron, sef Vectra glas tywyll a dau ddyn cyfarwydd yr olwg yn eistedd ynddo. Camodd DC Huws a DC Jones o'r car gan gerdded yn syth at Dafydd. Gwenodd arnyn nhw wrth gofio am y tro diwethaf y cwrddon nhw, a chododd ar ei draed i'w cyfarch.

'S'mai, hogia? Wedi dod i ddysgu sut mae bod yn dditectifs go iawn ydach chi, dwi'n cymryd?!' Edrychai mlaen at weld y ddau yma'n gwingo ar ôl iddyn nhw roi'r fath bwysau arno.

DC Huws siaradodd gynta eto. 'Dafydd Smith, rydw i'n eich arestio chi ar amheuaeth o lofruddiaeth. Does dim rhaid ichi ddweud dim. Ond fe all wneud drwg i'ch achos os na ddwedwch chi, wrth gael eich holi, rywbeth y byddwch chi'n dibynnu arno fo ymhellach ymlaen mewn llys barn. Fe ellir defnyddio unrhyw beth a ddwedwch fel tystiolaeth . . .'

'Hei! Arhoswch am funud . . .' ebychodd Dafydd, ond chymerodd DC Jones ddim sylw ohono wrth afael yn ei ysgwyddau, gwthio'i freichiau y tu ôl i'w gefn a tharo gefynnau dur ar ei arddyrnau oedd yn dal wedi'u cleisio ers y noson cynt.

'Be dach chi'n feddwl dach chi'n neud? Pwy ddiawl
dwi i fod wedi'i ladd . . .?' ond chymerodd yr un o'r
ddau sylw ohono wrth ei wthio i'r car a'i stwffio i'r
sedd gefn, gyda Jones yn eistedd fel delw wrth ei ymyl
yn nodi pob gair o'i brotest. Rhuthrodd Ifan at DC
Huws a'i rwystro rhag agor drws y gyrrwr.

'Reit, dwi newydd gael gair efo'r Dirprwy Prif
Gwnstabl, ond dwi eisiau clywed ganddoch chi, DC
Huws. Rydach chi wedi mynd yn rhy bell y tro yma.'

'Gyda phob parch, syr, falla mai chi sy wedi mynd
yn rhy bell, a falle mai dyna pam fod y Prif Gwnstabl
wedi gofyn i ni neithiwr gychwyn ar yr ymchwiliad
yma. Meddwl y base rhywun – sut alla i ddweud hyn,
dudwch – rhywun mwy diduedd yn fwy addas yn yr
achos yma.

'Mi gafwyd hyd i gorff Anna Bennett yn hwyr
neithiwr, yn fflat ffrind iddi. Roedd wedi'i thrywanu,
mae'n debyg, tua amser cinio ddydd Sul. O'r stori
mae'ch ffrind Dafydd Smith wedi'i rhoi y bore 'ma, fe
dreuliodd ddydd Sul ar ei ben ei hun, heblaw am y
cyfarfod a gafodd gyda'r *serial killer* 'ma – a go brin
bod hwnnw'n dyst delfrydol i gael ar eich ochr mewn
achos o'r fath.

'O ddisgrifiad y patholegydd yn y *post mortem* o'r
arf a ddefnyddiwyd i'w lladd, fe aethom i fflat Mr
Smith a sylwi fod cyllell eitha unigryw ar goll. Rydan
ni'n gwybod sut un oedd hi, gan mai tad Anna Bennett
roddodd y set o gyllyll yn anrheg i'r cwpwl hapus.

'Roedd eu perthynas ar ben, a Mr Smith mewn
trafferthion ariannol; yn digwydd bod, roedd polisi

yswiriant hael iawn ar fywyd Anna, ac yn ei henw hi roedd y fflat. Gyda'r berthynas ar ben, roedd Dafydd Smith ar fin colli'i gartref.

'Ac, wrth gwrs, does dim angen i mi eich atgoffa fod Anna wedi cwyno amdano fo'n eithaf cyhoeddus yn y tabloids fore Sul, ac mae 'na neges ddadlennol iawn ganddo fo iddi ar ei ffôn – neges a adawyd yr union fore hwnnw. Roedd Mr Smith yn swnio'n flin iawn, ac fel dach chi'n gwybod, syr, mae'r rhan fwyaf o lofruddiaethau'n digwydd rhwng cyplau a phobl sy'n adnabod eu gilydd.

'Rŵan, os ga i fynd i'r car, mi alla i fynd i'r swyddfa ac fe gaiff eich ffrind wneud yr un alwad ffôn y mae ganddo hawl i'w gwneud. Mi fydd angen cyfreithiwr da iawn arno fo, dwi'n meddwl.'

Safodd Ifan i'r naill ochr gan syllu'n syn ar wyneb Dafydd yn erfyn arno, 'Dwi'n ddi-euog,' wrth i'r car gael ei yrru i ffwrdd.

Gwasgwyd Dafydd rhwng y ddau blismon yn y sedd ôl, a'r gefynnau dur yn brathu i'w gnawd. Clywai eiriau herfeiddiol y Casglwr yn atsain yn ei ben: 'Mi wnei di dalu'n ddrud am dy lwyddiant . . .'